改訂版
検定「晴れの国おかやまの食」公式テキスト
過去問題付き

社団法人岡山県食品衛生協会 編
岡山県食の安全・食育推進協議会 監修

吉備人出版

発刊にあたって

　近年、食の多様化や輸入食品の増大、遺伝子組換えやクローン等新たな技術開発などにより、私たちの食を取り巻く環境がめまぐるしく変化している中、ＢＳＥや鳥インフルエンザ、食品の偽装表示、輸入野菜からの残留農薬の検出など食の安全と安心をおびやかす種々の問題事案が発生し、消費者の食に対する不安・不信が増大しています。

　一方、近年の核家族化やライフスタイルの変化に伴い、家族で食卓を囲む機会が減少するなど、食の大切さに対する意識が希薄になり、栄養の偏りや欠食など食生活の乱れ、生活習慣病の増加、また、郷土料理や礼儀作法など古き良き日本の伝統的食文化の損失などが社会的問題になっています。

　このような状況のなか、岡山県では、平成18年12月に、県民が食の安全について科学的に正しく理解するとともに、正しい食生活を育む力を養うことを目的に、「岡山県食の安全・安心の確保及び食育の推進に関する条例」が制定されるとともに、平成19年3月には「岡山県食育推進計画」が策定され、さらに、平成20年3月には、「岡山県食の安全・安心推進計画」が策定されており、今後も県と岡山県食の安全・食育推進協議会との協働により各種施策に取り組んでいくこととしています。

　このたび、岡山県食の安全・食育推進協議会では、岡山県との協働により、今後、更に「食の安全・安心」及び「食育」の推進に努めるため、より多くの皆様に「食」についての関心をより一層高め、また、食に関する正しい知識や情報を習得していただくため、「検定―晴れの国おかやまの食―」を実施することとしました。これは、食品の生産から消費までのすべての工程の中から、「食の安全・安心」と「食育」をキーワードとして、郷土岡山の食についての内容を盛り込んだ「ご当地検定」です。

　また、本テキストは、検定試験を受験される方や岡山県を訪れる方に、岡山の特産品や郷土料理などの食文化、また、岡山県の食の安全・安心の確保や食育の推進のための取り組みなどを広く知っていただくために作成しています。

　本テキストの作成にあたり、多くの方々の御協力を賜り、心より感謝申し上げますとともに、一人でも多くの方に、岡山の食について学んでいただく機会を提供できれば幸いです。

　　　　　　　　　岡山県食の安全・食育推進協議会　　［中国学園大学教授　］
　　　　　　　　　座　長　多　田　幹　郎　　　　　　　［岡山大学名誉教授］

目　次

第1章　食の生産と製造・加工

1．栽培（農産物）……………………………………………………… 9
　(1)　果実……………………………………………………………… 9
　(2)　野菜……………………………………………………………… 15
　(3)　その他…………………………………………………………… 23

2．漁業（水産物）……………………………………………………… 26

3．飼育（畜産物）……………………………………………………… 32

4．加工食品……………………………………………………………… 35

第2章　おかやまの食文化

1．おかやまの郷土料理………………………………………………… 47

2．郷土料理に関する考察等…………………………………………… 60

第3章　食の安全と安心の確保

1．県等の取り組み……………………………………………………… 75
　(1)　岡山県食の安全・安心の確保及び食育の推進に関する条例……… 75
　(2)　岡山県食品衛生監視指導計画………………………………… 77
　(3)　保健所等の役割………………………………………………… 78
　(4)　と畜検査・食鳥検査について………………………………… 80
　(5)　食品のモニタリング検査……………………………………… 80
　(6)　食品衛生責任者制度…………………………………………… 81

(7) 農薬の適正使用について………………………………………82
　(8) おかやま有機無農薬農産物の生産振興………………………82
　(9) 水産物の取り組み………………………………………………83
　(10) トレーサビリティシステムの導入……………………………84
　(11) BSE対策の推進…………………………………………………86
　(12) 輸入食品の検疫体制……………………………………………87
 2．食品衛生……………………………………………………………88
　(1) 食中毒……………………………………………………………88
　(2) 衛生管理…………………………………………………………99
　(3) 食品添加物………………………………………………………100
　(4) 残留農薬…………………………………………………………103
　(5) 遺伝子組換え食品………………………………………………105
　(6) 健康食品…………………………………………………………105
　(7) 食品の表示………………………………………………………108
 3．流通システム………………………………………………………112
　(1) 地産地消…………………………………………………………112
　(2) 農産物直売所……………………………………………………112
　(3) 岡山発！いい味売り込み推進事業……………………………113
　(4) あぐり・夢づくり起業化支援事業……………………………114

第4章　食　育

 1．県等の取り組み……………………………………………………115
　(1) 岡山県食育推進計画……………………………………………115
　(2) 健康おかやま21…………………………………………………117

2．食生活の現状················121
  (1) 食生活の現状················121
  (2) 栄養素の摂取状況················123
  (3) 食品の摂取状況················125
  (4) 食塩の摂取状況················127

3．健康と栄養・食生活················128
  (1) 健康と栄養················128
  (2) 栄養の基礎知識················129
  (3) 栄養素のバランス················130
  (4) 日本人の食事摂取基準（2005年版）················130
  (5) 食生活指針················131
  (6) 食事バランスガイド················133

4．年代別食生活················134
  (1) 乳児期················134
  (2) 幼児期················135
  (3) 学童期················136
  (4) 青・壮年期················138
  (5) 高齢期················139

5．作法・マナー················141
  (1) 配膳················141
  (2) 食べ方················142
  (3) 箸の持ち方················144

第5章　関係法令

1．食品関係 ………………………………………………… 145
　(1)　食品衛生法 ………………………………………… 145
　(2)　食品安全基本法 …………………………………… 145
2．食育関係 ………………………………………………… 146
　(1)　食育基本法 ………………………………………… 146
　(2)　健康増進法 ………………………………………… 146

参考文献・資料 ……………………………………………… 148

索　　引 ……………………………………………………… 150

執筆・監修者一覧 …………………………………………… 154

平成19年実施問題 …………………………………………… 155
　解答 …………………………………………………… 177

カバーデザイン・稲岡健吾

本書の利用について

1 本テキストは、岡山県食の安全・食育推進協議会と岡山県が協働で実施する「検定―晴れの国おかやまの食―」の公式テキストであり、受験にあたり、岡山の特産品や郷土料理等の食文化、食の安全・安心の確保や食育の推進のために岡山県が取り組む内容等について学んでいただくことを目的にしています。

2 テキスト作成に当たっては、県内の専門家等に依頼して執筆いただきました。

3 執筆者、参考文献・資料等については、巻末に明記しました。

4 各項目の解説や付録データについては、すべてを網羅することを目的にしてはおらず、必要に応じて主なものを紹介しています。

5 掲載内容について、複数の説が存在する場合、執筆者の研究成果を掲載しておりますが、必ずしもその他の解釈・説明を否定するものではありません。

6 特に記述のないものは、2007年6月現在の情報として掲載しています。

第1章　食の生産と製造・加工

生産量等統計データ、消費拡大、観光資源等の面から特徴のある農産物・水産物・畜産物・加工食品について解説する。

1. 栽　培 ―農産物―

(1) 果　実

● もも

　岡山県の桃は、古くから気品ある白い桃として有名である。桃の栽培は、収穫後の「土づくり」に始まり、品質のよい実がなる枝だけを残し、要らない枝を切り取る「せん定」、春先からの「草刈り」、虫や病気を防ぐため、一つ一つの実に袋をかける「袋かけ」等の作業があり、大変な手間がかかる。完熟した実は非常にデリケートであり、収穫は朝早くから実に傷をつけないように気をつかいながら行わなければならない。7月上旬～8月下旬にかけて収穫された桃は、贈答用等として全国に出荷される。最近では実に傷をつけずに糖度がわかる光センサーで選別する産地が多くなっている。

　県内の主な産地は倉敷市玉島地区、岡山市一宮・津高地区、赤磐市山陽地区等である。

　これまでに非常にたくさんの品種が岡山県内で育成、発見されている。最近では、「清水白桃（しみずはくとう）」、「白鳳（はくほう）」、「加納岩白桃（かのういわはくとう）」、「白桃」が主な品種であるが、「白麗（はくれい）」や「おかやま夢白桃」等の新品種にも期待がかかっている。「白桃」は岡山ブランド農林水産物に指定されている。

　平成17年産の生産量は、約9,500tで全国6位、栽培面積は730haで全国5位である。

9

桃の実には食物繊維やカリウムが豊富に含まれている。おいしい桃の見分け方は、形が整ってふっくらと大きく重量感があり、表面のうぶ毛がなめらかできれいなものがよい。食べる時は実を冷やしすぎないことが大切で、食べる直前に２時間程度冷やすのがポイントである。

岡山の桃は、全体がクリーム色に覆われた実のてっぺんがほんのりとピンクに色づいた上品な外観が特徴で、「岡山白桃」として主に京阪神、中四国地方の主要都市へ贈答用等に出荷されている。

● ぶどう

岡山県のぶどう栽培の歴史は古く、マスカット（品種名はマスカット・オブ・アレキサンドリア）をはじめ明治時代から日本有数の産地として有名である。

冬に、実をならせた枝を元まで短く切り込んで行う「せん定」は「短しょうせん定」と呼ばれ岡山県独特のものである。春に発芽してきた枝には果房になる花穂がつき、花穂には小花がたくさんあり、その一つ一つがぶどうの粒になる。ぶどうは棚栽培が一般的で、春から初夏にかけて枝を棚に取り付ける作業、花穂の形を整える作業、粒の間引き、袋かけといった作業が集中する。

また、ハウス栽培が多いのも岡山県の特徴の一つで、４月〜11月まで長期間にわたって生産された果実は贈答用等として全国に出荷されている。

県内の主な産地は、岡山市、倉敷市、高梁市、井原市、新見市、赤磐市などである。

古くから多くの品種が栽培されているが、現在の主要な品種は、「ピオーネ」、「マスカット・オブ・アレキサンドリア」、「マスカット・ベーリーＡ（ベリーＡ）」などである。「ピオーネ」と「マスカット・オブ・アレキサンドリア」は岡山ブランド農

ピオーネ

マスカット

林水産物に指定されている。

　平成17年産の生産量は約14,200tで全国4位、栽培面積は1,230haで全国5位である。このうち、「ピオーネ」、「マスカット・オブ・アレキサンドリア」は全国1位のシェアを誇っている。

　ぶどうの実は、カリウム、カルシウム、リンなどの含量が多く、皮にはポリフェノールが多く含まれ、皮も原料にする赤ワインは健康食品として評価されている。

　おいしいぶどうの見分け方は、軸が緑色で、実に張りがあり、実の表面に「果粉」と呼ばれる白い粉が付いているものがよい。

● 梨

　岡山県の梨栽培の歴史は古く、明治時代までさかのぼる。一般に、梨は棚に仕立てて、たくさんの支柱で支えて作る。梨は自分の花粉では受精しない性質があり、実を付けるための「人工受粉」が欠かせず、果実を大きくするための「摘果」、虫や病気を防ぐため一つ一つの実に袋をかける「袋かけ」、上に向かって伸びる枝を切る「せん定」など大変な手間がかかる。

　収穫は早生のものでは8月から、晩生のものでは10月から11月にかけて収穫し、贈答用等として全国に出荷される。

　主な品種は、日本梨の「新高」、「愛宕」、「豊水」である。珍しいものとしては「晩三吉」や中国梨の「鴨梨」が古くから岡山県で作られており、「愛宕」と「鴨梨」は全国1位のシェアを誇っている。

　県内の主な産地は、岡山市西大寺地区、倉敷市玉島地区、浅口市金光地区などである。

　平成17年産の生産量は約2,330t、栽培面積は149haである。

　おいしい梨の見分け方は、表面がなめらかで形

第1章　食の生産と製造・加工　● 11

が整っていて、大きく重量感があるものがよい。梨の果実には約85％の水分が含まれているほか、よく熟した実には果糖、ショ糖が含まれ、またわずかながらリンゴ酸を主として酒石酸とクエン酸、それに消化酵素も含んでいるので、消化を助ける働きがある。また、解熱の効果もあるといわれている。

岡山県で作られている晩生の「新高」、「愛宕」、「晩三吉」は収穫後の日持ちがよいのが特徴で、貯蔵しながら追熟させる。「新高」は10月～11月、ジャンボ梨で有名な「愛宕」は11月～12月、「晩三吉」は12月から早春まで贈答用として全国に出荷されている。

● いちじく

いちじくは江戸時代に日本で作られるようになり、温暖で雨の少ない気候に適していることから、岡山県でも明治時代から栽培されている。いちじくは漢字で「無花果」と書き、これは花がつかずに果実ができるように見えることが由来であるが、実際には、小さな実のような形をした花床の内側に多数の小花（果）が咲く。食べる部分はこの花床が肥大した部分で、つぶつぶとした食感は小花（果）の種である。

栽培には、水はけのよい土壌が適しており、連作障害もあることから土づくりに手間がかかる。また、乾燥にも弱いので樹の周りには敷きわらを行い、土壌表面からの水の蒸発を抑えて作るほか、冬には枝を間引いたり、切り返して整理する「せん定」も必要である。春になると発芽した枝は勢いよく伸び、節ごとに小さな実がつき、これを「秋果」と呼ぶ。前年の枝につく実は「夏果」と呼び、秋果より一足早く熟れる。実はしだいに太り枝の下位の方から順に熟す性質がある。色づき

始めると急速に熟度が進む。完熟すると早く傷んでしまうので、収穫は夏から秋にかけて毎日早朝に行われ、地元の市場を中心に出荷されている。

県内の主な産地は、笠岡市茂平地区、倉敷市児島地区、備前市などである。いちじくは西アジア原産で多数の品種があるが、県内で主に栽培されている品種は、江戸時代に伝わったとされる日本いちじくの「蓬莱柿（ほうらいし）」と西洋いちじくの「桝井（ますい）ドーフィン」で、蓬莱柿は熟すと果実の先端部が裂けるのが特徴である。新鮮ないちじくの見分け方は、実に張りがあってしなびていないもの、切り口が乾いていないものである。

いちじくはカルシウム、カリウム、ビタミンC、B_1、B_2を多く含んでいる。また、食物繊維のペクチンを多く含み、腸の働きをよくする効果がある。

● メロン

メロンは、中央アジア、アフリカ原産の1年生つる性の植物で、雄花、雌花と両性花（りょうせいか）がつく。高温で乾燥した環境を好み、生育適温は22～30℃である。発芽には高温が必要で播種期（はしゅき）が早い場合には加温する必要がある。

温室やハウスで栽培されるアールスメロンは、甘くて香りが高く、大玉で美しいネットが入り、高級果物の代表である。

栽培作業では、結実を助けるため、花粉を筆でめしべにつけたり、ミツバチを使って受粉を助けたりしている。

アールスメロンは、収穫時に1kg以上になるので、各株の最初の果実が鶏卵大になったころ、U字型の専用のフックで果実をつって栽培する（玉つり）。普通1株に1果を残して摘果（てきか）する。

メロンの栽培技術のうちで最も難しいのが水管

第1章　食の生産と製造・加工　13

理で、水管理の良し悪しで果実表面のネットの入り方に大きな違いが出てくる。普通、交配後50日ぐらいで果実が成熟し、温室栽培では、色々の品種、作型を組み合わせて5月～12月頃まで出荷される。

岡山県内の主な産地は、岡山市足守地区、総社市山手地区で、「雅夏系(みやびなつけい)」「雅秋冬系(みやびあきふゆけい)」などの品種が主に作られている。品質の見分け方は、ネットが均等に入り形が整っているものが優良とされている。収穫から5～10日追熟し、芳香が高まると食べごろで、食物繊維、カリウムを含んでいる。

● イチゴ

北米と南米原産の野生種がオランダで交雑されてできた多年草で、日本には江戸時代にオランダから伝えられたといわれている。

冷涼な気候を好むが、5℃以下になるとほとんど生育が停止する。自然の環境下では3月頃から少しずつ株が大きくなり、4月後半～6月初めまで果実が収穫できる。

収穫後期になるとランナー（匍匐枝(ほふくし)）が発生し、子株ができる。この子株（子苗）は、秋には大きく生長し花芽を作るが、気温の低下とともに生育が停止して休眠越冬する。翌春の気温の上昇に伴って再び生長を始め、開花し実をつける。

岡山県では、ポットで育成した苗を秋に定植し、秋冬季にビニールハウスで加温して、12月から翌年5月まで収穫する作型（促成栽培）が多い。最近では、プランターを利用して、地面から離して液肥を与えて栽培する高設栽培も行われるようになった。岡山県ではこのやり方を「はればれプラント」と名付けて普及に努めている。

主な産地は岡山市西大寺地区で、品種は、「とよのか」、「さちのか」、「とちおとめ」、「さがほの

か」、「紅ほっぺ」などがある。最近は品種改良により、果実が大きく甘味の強い品種がつぎつぎと作られている。平成17年産の生産量は約1,200tで、栽培面積は68ha、出荷は県内向けがほとんどである。

新鮮なイチゴの見分け方は、色が濃く、へたに張りがあるものがよいとされている。栄養成分は、食物繊維、カリウム、ビタミンCが含まれ、変わったところではキシリトールが豊富である。

(2) 野　菜

● 蒜山ダイコン

ダイコンの原産地は、地中海沿岸から中央アジアにかけてである。冷涼な気候を好み、生育適温は17～20℃で耐暑性、耐寒性はともに強くない。根の肥大適温は24℃ぐらいとされており、耕土は深く、膨軟で排水性・保水性の良い、肥沃な土壌が適している。

岡山県では、夏季冷涼な県北の真庭市、津山市、美作市、新見市などで夏採り栽培がされている。なかでも真庭市の蒜山地域で4月～9月に播種し、6月～11月に収穫される蒜山ダイコンは、岡山県を代表する野菜ブランドの一つである。平成17年産の栽培面積は238ha、主な品種は「夏つかさ」、「T-392」などである。

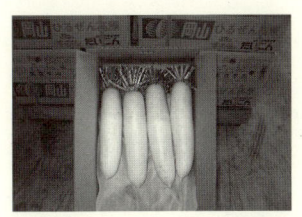

品質のよいダイコンの見分け方は、白くハリがあり、ずっしりと重いものが優良である。栄養成分は、食物繊維、カリウム、亜鉛などが含まれている。

● 連島ゴボウ

ゴボウはキク科の2年生植物で、ヨーロッパか

らシベリア、中国東北部に野生種が分布しているが、食用にされるのは日本だけのようである。日本には薬草として中国から伝来したのが始まりといわれている。

根は1m前後まで伸びるので、耕土が深く、排水が良く、地下水位が低いことが栽培適地の必要条件である。

倉敷市連島地区では、砂地の深い土壌の特性を生かして、春まき夏どり栽培（3〜4月播種、6〜8月収穫）や秋まき春どり栽培（10月播種、4〜6月収穫）が盛んに行われている。連島ゴボウは、白肌でアクが少なく、柔らかい肉質と甘味を持つ洗いごぼうとして好評を博している。平成17年産の生産量は約1,390tで全国16位、栽培面積は75haである。約7割が中四国、約2割が県内、約1割が京阪神に出荷されている。

品質の見分け方は、すらりと伸び、ひび割れていないものが良いものである。栄養成分は、食物繊維、カリウム、亜鉛が含まれており、中でも食物繊維が多く、整腸作用やダイエット効果がある野菜として最近注目を集めている。

● 黄ニラ

ニラはユリ科の多年草で中国西部原産といわれており、春から秋まで生育する。

岡山特産の黄ニラは根株を養成した後、黒ビニールで覆い光を当てずに栽培したものである。通常ニラは3〜4月に種を播き、6月に定植し根株を養成すると、翌年4月ごろから収穫できるが、黄ニラは、地上部を刈り取り、黒色ビニールフィルムで被覆すると20日ぐらいで収穫できる。2年間で延べ8〜10回収穫できる。

平成17年産の黄ニラの生産量は、約107tで全国の約7割を占め、栽培面積は16haである。黄ニ

ラは岡山ブランド農林水産物に指定され、主に京浜・京阪神・県内に出荷されている。

　黄ニラの品質の見分け方は、黄色がくっきりして、ピンとしているものが優良である。黄ニラは葉が柔らかく、汁の実やおひたしの他、中国料理、韓国料理、炒めもの、鍋物にも利用される。

　また、最近マスコミで取り上げられた、黄ニラの含有成分のアホエンは、脳の老化を食い止め、記憶力をアップさせる効果があるとして注目されている。

● 千両ナス

　ナスはインド原産で、日本には奈良時代に伝わったという記録が残っているそうである。日本では1年生作物として扱われているが、熱帯地方では多年生となる。

　高温、多日照を好み生育適温は22～30℃で、10℃以下になると生育が止まり、高温になると障害が生じる。また、光が不足すると落花しやすく、果実が肥大し、着色も悪くなる。ナスには土から伝染する病気が多く、病気に強い台木に接木して栽培されている。

　県南部では、長卵形の千両ナスを6月に播種、8月に定植し、9月～翌年6月まで収穫する促成栽培が盛んである。また県中北部では、長ナスを3月に播種、5月に定植し、6月～10月まで収穫する露地栽培も盛んである。

　ナスは、県内の野菜生産額第1位で、このうち「千両ナス」は、関東・京阪神市場に出荷され、高級品の「岡山の千両ナス」として岡山県を代表するブランド野菜である。（岡山ブランド農林水産物に指定されている。）主な産地は、岡山市七区・藤田地区、玉野市で平成17年産の栽培面積は44 haである。

第1章　食の生産と製造・加工　● 17

新鮮なナスの見分け方は、皮の色が濃く、つやがあるものがよいとされる。栄養成分として食物繊維、カリウム、亜鉛などが含まれている。ナス本来の味は淡白で他の食材と合わせやすく、また、油をよく吸収するので肉類との相性が良く、焼く、煮る、揚げるなど色々の調理に利用されている。

● トマト

トマトの原産地はアンデス高原で、栽培種はメキシコで作られたといわれている。日本では、当初、観賞用として栽培されていたが、昭和10年頃から食用として本格的に栽培されるようになった比較的新しい野菜である。

トマトの赤色の成分は「リコペン」であり、着色の適温は15〜25℃、極端な低温や高温では果色が劣る。また「リコペン」は、最近、抗酸化作用があることで注目されている。新鮮なトマトの見分け方は、色むらがなく光沢のあるものがよいとされている。

岡山県では、夏季の気候が比較的冷涼な県中北部で、雨よけハウスを使い7月〜11月まで収穫する夏秋どり栽培が行われている。

最近は、プランターなどに植え付け、液肥をポンプで給液する隔離床栽培や生育に合わせてかん水と肥料を同時に点滴で施用する養液土耕栽培も増加している。

受粉を自然に任せていたのでは結実が安定しないので、植物ホルモン剤を利用してきたが、最近はマルハナバチを使って受粉を助けることも多くなっている。

県内の主な産地は、高梁市備中・川上、真庭市、新見市などで、主な品種として「桃太郎8エイト」が作られている。平成17年産の県内の生産量は約6,130tで、栽培面積は132ha。約6割が京阪神方面、

残りが県内に出荷されている。

トマトの利用目的は、生食用、調理用、加工用と多様であるが、岡山県産のトマトは主に生食用を念頭に栽培されている。

また、ビタミンAが多い栄養価の高い野菜としても有名であり、その他カリウム、亜鉛なども含まれている。

● とうがん

とうがんは、東南アジア、南洋諸島、インドなど熱帯アジアが原産地といわれているウリ科の1年生つる性草本である。利尿効果があるとされ、古くから腎臓病患者の食事に用いられていた。夏野菜であるが、熟すと皮がかたくなり冬まで貯蔵できることから、「冬瓜」の名がついたともいわれている。

高温性の野菜で生育適温は25～30℃である。露地栽培では5月に播種し、7月後半～10月に収穫する。

結実を良くするために、開花期になったら雌花に雄花の花粉をつけて交配し、開花後45～50日で果実の色が濃緑色になり、表面に白粉が現れた時期に順次収穫する。

岡山県では、瀬戸内市牛窓地区で栽培されており、全国有数の産地である。平成17年産の牛窓地区の栽培面積は20haで、主に「沖縄とうがん」が作られ、京阪神に4割、中四国に2割、残りは中京、京浜に出荷されている。

主な栄養成分は、食物繊維、カリウム、ビタミンCなどで、味は淡白で煮物、あんかけ、酢の物、スープ、蒸し物などとして他の味を含ませる料理によく利用される。

第1章 食の生産と製造・加工 ● 19

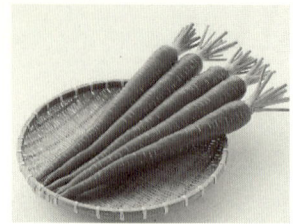

● 金時(きんとき)ニンジン

　ニンジンは、セリ科の1～2年生野菜で、原産地は、中央アジアのアフガニスタンといわれ、日本には中国から伝わり古くから栽培されている。土は、肥沃な砂質土壌や火山灰土で、耕土が深い場所が最も適している。生育適温は18～22℃で、根の肥大、着色には20℃前後が最適とされている。冬の間に低温に遭うと花芽ができ、その後、春に温度上昇して日が長くなるとトウ立ちする。

　「金時」は東洋系の品種で、西洋系に比べて「トウ立ち」しやすいので、7月～8月に播種し、11月～2月に収穫する夏播き冬どり栽培が適している。収穫期の目安は、ニンジンの株元が地割れし、根重が150～200gになったころである。県内の主な産地は倉敷市で、平成17年産の栽培面積は32haである。高梁川沿いの砂地は肥沃で水はけがよく、ニンジン栽培に最適である。

　ニンジンは、ビタミンA、カロチンが豊富で、カルシウム、鉄分も多く、栄養価の高い野菜である。また、金時ニンジンは甘味が強く、ニンジン特有の臭みが少なく、煮ても形が崩れにくいので、和風の料理に重宝されている。特に、関西地方の日本料理、おせち料理には欠かせないものである。新鮮なニンジンの見分け方は、色が濃く茎葉がしっかりしているものがよいとされている。

● はくさい

　はくさいは、中国原産のアブラナ科植物で、鍋料理によく利用されるとともに、数多くの漬け菜の中でも最も親しまれているものである。

　生育適温は初期で20℃、結球期で15～16℃で、暑さに弱く、冷涼な気候を好む。

　排水がよく、保水力のある土層の深い畑が適し

ており、連作すると病気が発生しやすくなる。種まきから60〜100日で収穫され、本来は秋播き冬収穫の野菜であるが、日本では、品種とトンネル栽培、露地栽培の組み合わせで、9月末から6月までほぼ連続的に出荷されるようになっている。

　県内では瀬戸内市牛窓地区や高梁市川上地区の段々畑で古くから栽培されており、春作と秋冬作が中心で、春作は、主産地である長崎県と長野県産の端境期を狙って出荷されている。県内の平成17年産の生産量は約20,600tで全国10位、栽培面積は400haである。京阪神に5割、中四国に3割、残りは県内に出荷されている。

　はくさいの品質の見分け方は、全体的に固く、しまって重いもので、切り口が白く新鮮なものがよいものである。旬は冬で、霜に当たると甘みが出て、シャキシャキした歯ざわりがある。食物繊維やミネラルが豊富で、煮物、汁物、炒め物、鍋料理、キムチなどの漬物に広く使われている。主な栄養成分は、食物繊維、カリウム、亜鉛、ビタミンCなどである。

● マツタケ

　秋を代表する味覚のマツタケは、「香り松茸、味シメジ」といわれるように特有の芳香が魅力の中〜大型のきのこで、9月下旬〜10月下旬にかけてアカマツ林に発生するが、梅雨頃に生えるマツタケ（「サマツ」と呼ばれる）もある。主な産地は、県中部の松林地帯（高梁市、真庭市南部、吉備中央町など）で、平成17年の県内生産量は約2.5tで全国5位であり、気象条件により豊凶の差が大きい。軸が硬く、表面が湿っているものが良品で、虫食いのものは触ると軟らかい。カサが完全に開くと特有の芳香が1〜2日でなくなるため、カサが少し開いたものまたは開いてないものが市場価

値が高い。

近年では、中国、韓国、北朝鮮やカナダから輸入されたものが安価で流通しており、全需要量の95%程度が輸入品によってまかなわれている。

人工栽培も試みられているが、マツタケはマツ（主にアカマツ）の根に菌根を作り、互いに栄養分のやりとりを行って共生する特殊な生態で、この仕組みは、現代の生物学の最先端技術でも解明されていないため、マツタケの人工栽培は成功していない。

● 乾シイタケ

秋に樹の葉が色づきだした頃、コナラやクヌギなどの木を伐採し、この木を1m程の長さに切り、ドリルで穴を開け、シイタケ菌を植え付ける。菌を植え付けた原木を「ほだ木」といい、温度、湿度及び光環境を調えて、ほだ木全体にシイタケ菌がまん延するように管理する。二夏経過した後の春、秋にシイタケが発生するので、採取して、熱風で乾燥させて乾シイタケとして出荷する。

主な産地は、真庭市、高梁市、新見市で、平成17年の県内生産量は約88.6tで全国9位となっている。

カサの縁が十分巻き込み、ヒダは淡黄色又は乳白色で鮮明なものが良質とされている。

乾シイタケには、体内でのカルシウム吸収を促進させるビタミンDや食物繊維が多く含まれ、また、日本料理での三大うま味成分の一つであるグアニル酸や血圧・コレステロール調整作用のあるエリタデニンを含んでいる。

国内需要量の3分の2程度を中国からの輸入に頼っているものの、残留農薬問題、原料原産地の表示の義務化等で国産品の需要が高まりつつある。県では、原木を使ったシイタケの生産振興に努め

ている。

(3) その他

● 米

朝日米

　岡山は古くから米どころとして名声を博してきた。稲の栽培は「土づくり」に始まり、4〜5月に「種籾」をまいて苗を育てる「育苗」、20〜30日間育てた苗を「代かき」した水田へ移植する「田植え」と続く。田植え後は水をためたまま栽培するが、生育途中に水を落として水田を強く乾かす「中干し」や、生育状態をみながら「施肥」を行い、稲が健全に育つよう気をつける。また、害虫や病気、雑草から稲を守る「防除」を行う。稲の穂が出て35〜50日後、穂が黄色く熟れたら「収穫」する。この「移植栽培」とは別に、県の南部では、耕起した畑状態の水田へ5月頃直接種籾をまき、1カ月後から水をためる「乾田直播栽培」という栽培方法も広く行われている。なお、穂についている粒を「籾」、籾から外皮をとったものを「玄米」、玄米を搗精して表層を除いたものを「精白米」といい、通常食べるのはこの精白米である。

　稲は県内全域で栽培され、平成18年産の栽培面積は34,900haで全国18位、収穫量は約177,300tで全国17位である。10a当たりの平均収量は508kgで、7.4人分の年間消費量に相当する。

　主な品種として、「あきたこまち」や「コシヒカリ」は県中北部で、「ヒノヒカリ」は中南部で、「朝日」や「アケボノ」は南部で栽培され、主に主食用として県内及び関西方面へ出荷されている。また、県南部で栽培される「雄町」は最高級の酒米として全国的に有名で、純米酒、吟醸酒の原料として県内外の酒造メーカーで利用されている。その他、粘りの強い米を「もち」と総称し、「ヒメ

雄町米

第1章　食の生産と製造・加工　23

ノモチ」、「ココノエモチ」や「ヤシロモチ」が餅や米菓用として栽培されている。

なお、「朝日」はコシヒカリやササニシキなどおいしい米として、また、「雄町」は酒米のルーツであり、いずれも岡山ブランド農林水産物に指定されている。

精白米は、約77％を炭水化物が占める主要なエネルギー源であるが、たんぱく質も約6％含み、たんぱく源としても重要な食品である。

● 黒大豆

黒大豆（丹波黒）は古くから丹波地方で栽培されていた在来種で、大豆としては極大粒で種皮の表面に白い「蝋粉」を生じるのが特徴である。岡山県へは昭和40年代後半ごろに導入され、現在では全国一の産地となり、岡山ブランド農林水産物にも指定されている。

黒大豆は、同じほ場で毎年栽培する「連作」や、酸性の強いほ場、水分の多いほ場では生育が悪くなるので、「ほ場選定」やたい肥や石灰をすき込む「土づくり」、「排水対策」が極めて重要である。栽培は、6月中旬ごろ、畝に種をまき、生育中は雑草防除や倒伏防止、排水対策を兼ねて畝間の土を株元に寄せる「中耕培土」、害虫や病気から黒大豆を守る「防除」などを行う。開花後の8月中下旬から莢がつき始め、11月末ごろ莢が褐色になると株元から切断して「収穫」する。その後、ほ場内で数株ずつ立てかける「島立て」乾燥、莢から粒を取り出す「脱穀」、「陰干し」による仕上げ乾燥、大きさ別の「選粒」、しわ粒や扁平粒を取り除く「手選別」など、出荷までに多くの手間を要する。

県内の主な産地は、勝央町、津山市、美作市、吉備中央町などで、平成18年産の県内黒大豆の生

産量は約2,410t、栽培面積は1,660haで、丹波黒種としての生産量、面積は全国1位である。

丹波黒種は遺伝的純度が低いので、県内の26系統の中から大粒で粒形もよく品質が高い「岡山系統1号」が選抜され、平成17年からこの系統への転換が進められている。

黒大豆の成分は白大豆とほぼ同じで良質なたんぱく質と、脂質が豊富に含まれており、また、大豆サポニンや大豆レシチン、イソフラボンといった機能性成分も含まれている。さらに黒大豆の種皮には抗酸化作用をもつアントシアニンが多く含まれている。

黒大豆は、粒が大きく球形で、表面に蝋粉をきれいにふいたものが高級品として取り引きされている。食べ方は、煮豆にするのが最も代表的で、正月のおせち料理には欠かせない一品であるが、飲料や菓子、枝豆としても利用されている。

● ツクネイモ

ヤマノイモの仲間は、ツクネイモ以外にもナガイモ、イチョウイモ、ジネンジョなどたくさんの種類があり、形も様々である。ツクネイモは、中国原産で比較的高温を好む。4月に種芋を植え付け、6月に支柱を立てて縄などを水平に張り、つるを縄に巻き付けていく。収穫は秋になり、寒さで自然に茎葉が枯れたあと、晴天の日にイモを傷つけないように気をつけて掘り取る。大きくて形の良い丸イモを作るためには、梅雨明けから土壌が乾燥しないようにかん水することが重要で、かん水の便利さから水田での栽培が多いようである。

県内の主な産地は岡山市御津地区で、昭和の初め頃に丹波篠山から導入されたのが始まりといわれており、品種は「アオヤマ」が作られている。
ヤマノイモの仲間は、すり下ろすとネバネバ、ヌ

ルヌルするのが特徴で、なかでもツクネイモは水分が少なくネバネバが強く、とろろに最適である。ヌルヌル成分はムチンで、胃の壁を保護し、たんぱく質の吸収を良くするといわれている。滋養強壮に効果があり、「山のうなぎ」とも呼ばれている。

2．漁　　業 ―水産物―

● マガキ（カキ）

　マガキ（カキ）は二枚貝の一種で、日本の冬を代表する海の幸である。岡山県では1810年頃にカキの養殖が始まったといわれている。
　本県海域は、吉井川、旭川、高梁川の三大河川から流入する豊富な栄養塩に支えられてカキの餌となる植物プランクトンが多く、また、風波から筏を守る島かげが多いことなどカキ養殖に適した立地条件にあり、高品質のカキが育つことから全国有数の生産地である。
　マガキの収穫時期は11月～3月で、主な産地は備前市日生町、瀬戸内市邑久町・牛窓町、浅口市寄島町、笠岡市である。また、平成17年度の漁獲量は3,454t（むき身重量）で全国3位である。
　カキは、タウリン、グリコーゲン、ナトリウム、カリウム、カルシウム、ビタミンE、ビタミンB$_3$など多くの栄養素を含んでいることから「海のミルク」と呼ばれている。
　主な料理法は、焼きカキ、カキフライ、カキ鍋、カキ飯等があり、独特の風味となめらかな舌触りが親しまれている。

　「岡山かき」を「岡山ブランド農林水産物」に指定し、県内外の消費者に対して「岡山かき」の安全性と味の良さを広くＰＲするため、各生産地で「かき祭り」が毎年開催されている。

● サッパ（ママカリ）

岡山ではママカリと呼ばれることが多いが、和名は「サッパ」である。体長10～15cm程度のニシン科の小魚で、背が緑黒色、腹が銀白色、関東以南から朝鮮半島の南部にかけて分布している。岡山県では、県下全域の沿岸に生息し、建網、流し網、つぼ網で漁獲される。秋口にアキアミを追って河口域に入ってくる頃が最も美味で、釣りの対象としても人気がある。

ママカリの語源は、「漁民これを喰うに美味なり。一船の飯を食いつくし、ついに隣船より飯を借りて喰う。故に名づけしと（成島柳北：1837～1884）」からきているといわれている。

漁獲時期は9月～11月、主な産地は倉敷市、瀬戸内市、笠岡市等である。平成17年の漁獲量は64tである。

料理法は、酢漬け、素焼き（姿のまま素焼きして酢醤油に漬けた「焼ままかり」）、ままかり寿司（姿ずし）などがあり、土産物としても親しまれている。

● サワラ

「瀬戸の海や浪もろともにくろぐろとい群れてくだる春の鰆は」（若山牧水）と詠まれているように、サワラは瀬戸内海の春を告げる魚である。サワラはサバ科の回遊魚で、岡山県沿岸では4月～6月頃に産卵のため入り込んできたものがサワラ流し網で漁獲される。幼魚は「サゴシ」と呼ばれている。

主な産地は、備前市日生町、瀬戸内市、倉敷市等で平成17年の漁獲量は29tである。

岡山県沿岸で獲れたサワラは、みごとな桜色の身をしており、もちもちとした食感は刺身にして

もおいしく、その他、塩焼き、炒り焼き、しゃぶしゃぶ、鰆の茶漬け、白子の味噌汁等の料理が親しまれている。

> **一口メモ**
>
> **魚島（うおじま）**
>
> 　かつては晩春のころ、サワラをはじめとする多くの魚が産卵のために沿岸に押し寄せてくる姿がまるで島のように見えたことから「魚島」と呼ばれた。

● マダコ

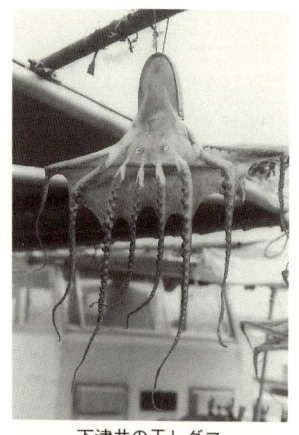

下津井の干しダコ

　瀬戸内ではマダコは年中獲れるが、最もよく獲れるのは8月〜12月にかけてである。しかしながら、産卵期の親ダコを保護するために一部の地域では毎年9月を禁漁にしている。主な漁法は、たこつぼ、底びき網、釣り等である。主な産地は倉敷市、笠岡市等で、平成17年の漁獲量は308tである。
　中でも潮の流れが複雑な下津井沖で獲れるマダコは、身のしまりもよく「下津井ダコ」として広く知られ、県下の6割の水揚げがある。大型のマダコを寒風で干した「干しダコ」は冬の風物詩となっている。主な料理法は、刺身、酢の物、から揚げ、天ぷら、煮付け、たこ飯等で、どんな料理でもおいしく食べられ、広く親しまれている。

● クロダイ（チヌ）

　クロダイは岡山県では方言で「チヌ」と呼ばれている。瀬戸内では年中獲れるが、よく獲れるのは11月〜3月にかけてであり、底びき網、刺網、小型定置網等の漁法で捕獲される。主な産地は倉敷市、浅口市、笠岡市等で、平成17年の漁獲量は

135tである。

主な料理法は、刺身、塩焼き、煮付け等である。

魚の鮮度判定

一般的に目の澄んでいるものが鮮度がよく、目が白かったり充血しているものは鮮度が悪い。また、エラは鮮紅色で、体全体がピンと張り、うろこがしっかりついているかどうかが新鮮な魚を見分ける判断基準である。

● マナガツオ

マナガツオは岡山では夏を代表する魚である。夏に産卵のため瀬戸内海に入り込んできたところを流し網、袋待網で捕獲される。

漁獲時期は7月～8月にかけて、主な産地は倉敷市、玉野市、備前市、瀬戸内市等で、平成17年の漁獲量は77tである。

カツオに全然似ていないのにカツオの名がついたのは、カツオがとれない瀬戸内海の漁師が、目に青葉の初夏にとれだすこの魚を、これこそ真(マナ)のカツオとばかりにマナガツオと呼んだためといわれている。

主な料理法は、刺身、照り焼き、塩焼き、味噌漬け等である。

● ウシノシタ（ゲタ）

ゲタとは、シタビラメ、ウシノシタ類の岡山・香川あたりの方言である。カレイやヒラメのように平たく、口が体の先端でなく目の下にあること、背びれ、尾びれ、尻びれがつながっていることが特徴である。

第1章 食の生産と製造・加工 ● 29

瀬戸内では底びき網、刺網等の漁法で年中獲れる。主な産地は浅口市、玉野市、倉敷市、笠岡市等で、平成17年の漁獲量は646tである。

主な料理法は、煮付け、ムニエル、フライ等がある。

> **一口メモ**
>
> **DHAとEPA**
>
> 　魚介類には、高度不飽和脂肪酸の一種であるDHA（ドコサヘキサエン酸）やEPA（エイコサペンタ塩酸）等、人の健康に有益な機能成分が多く含まれている。
>
> 　DHAは、クロマグロ脂身、スジコ、ブリ、サバなどに多く含まれており、脳の発達促進、視力低下の予防などの効果があるといわれている。
>
> 　また、EPAは、マイワシ、サバ、ブリなどに多く含まれており、血栓予防、抗炎症作用、高血圧予防に効果があるといわれている。

● ガザミ（ワタリガニ）

ガザミは、オール状の脚を使って上手に泳ぐことから「ワタリガニ」とも呼ばれている。水温の高い時は成長のため脱皮をするので、甲羅が柔らかく、身もあまり詰まっていない「ヤワラ」と呼ばれるものが多くなる。水温が下がり、身の詰まる晩秋から春が旬で、メスは冬から春にかけて甲羅の中に内子（卵）が詰まり、最もおいしくなる。

主な漁法は底びき網で漁獲時期は10月～3月である。ただし、ガザミ資源保護のため、8月1日～9月30日までの間は、全甲幅（甲羅の両端までの長さ）が13cm以下のガザミは、捕獲が禁止されている。主な産地は笠岡市、浅口市等で、平成17

年の漁獲量は278tで全国3位である。
主な料理法は、塩ゆで、酢の物等である。

● タイラギ（貝柱）

タイラギは濃緑色で三角形の大型二枚貝で、貝柱が大きくおいしいので「貝柱」とも呼ばれている。干潟から水深40m以上の海底に生息しており、主にヘルメット式の潜水器を用いて捕獲される。

漁獲時期は、12月1日～4月20日で、主な産地は倉敷市で平成17年の漁獲量は691tである。

主な料理法は刺身、酢の物、天ぷら、塩焼き、バター焼き等で、外套膜（＝ひも）の部分は、干物や佃煮にされる。

 一口メモ

二枚貝の効能
アサリ等の二枚貝は、マグネシウム、亜鉛、鉄分、ビタミンB_2、ビタミンB_{12}、カルシウム等の栄養成分を含む。うまみ成分のタウリンはコレステロール値の減少、動脈硬化の予防、肝臓の強化や二日酔いを解消する等の効果がある。

● ノリ（スサビノリ）

岡山県のノリ養殖は、明治16年ごろに児島湾で行われたのが始まりとされており、養殖技術の改良・普及により昭和40年代半ばごろから全県的に行われるようになった。

養殖に使用されるノリの種類は、かつてはアサクサノリが主であったが、現在ではスサビノリがほとんどである。

生産されたノリはその大半が板海苔という乾燥

第1章 食の生産と製造・加工 ● 31

品で流通されている。製品は色調や重量等、品質によって格付けが行われ、黒みが強く光沢が良く、香味が良いノリが上級品とされている。

ノリの収穫時期は11月～3月で、主な産地は岡山市、倉敷市等で、平成17年度の収穫量は板海苔で241,520千枚である。

3．飼　育 —畜産物—

● おかやま和牛肉

「和牛」は古来、中国山地を中心に盛んに飼育され、農耕や運搬用に不可欠な「農宝(のうほう)」として大切にされてきた。特に岡山県は古くから優れた和牛の産地として知られ、育種改良も進んで優良系統牛の造成がなされ、わが国の和牛ルーツの一つとして高く評価されている。

「おかやま和牛肉」は、和牛の飼育に適したきれいな空気や水、肥沃な大地に恵まれた岡山で、農家が一頭一頭手塩にかけて育て上げた健康な黒毛和牛の肉であり、岡山ブランド農林水産物に指定されている。

牛肉のおいしさの決め手となる霜降りやきめの細かさ、みずみずしい光沢など肉質のグレードにより、一頭ごとに認定されている。

【認定基準】
　品　　種：黒毛和種
　対　　象：県内で生産され指定農協等で肥育した後に県営食肉地方卸売市場で処理したもの
　品質基準：肉質等級3以上（5段階中）
　認定頭数：749頭（平成18年度）
【認定団体】

岡山県産牛肉銘柄推進協議会

● おかやま黒豚

　純粋なバークシャー種（原産地イギリス）だけを「黒豚」と呼ぶ。日本では明治時代に導入され、現在まで各地で改良されてきた。

　岡山県では、昭和53年から岡山県畜産試験場（現岡山県総合畜産センター）で本格的に改良を進めるとともに、平成8年から3年間、原産地であるイギリスから優良な種豚を導入し、さらに品質の高い黒豚の生産に取り組んでいる。

　おかやま黒豚肉は、線維が細かく柔らかで、加熱しても肉汁を保ち、うま味を逃さない。脂に甘味があり、しつこさがないので、食べると風味とおいしさが口の中に広がる。豚肉100ｇで1日に必要なビタミンB$_1$を摂取でき、疲労回復効果があるともいわれている。

【認定基準】
　品　　種：純粋黒豚（バークシャー種）
　対　　象：県内の指定農場で生産され、植物性のタンパク質や大麦等を配合した専用飼料を給与し、県営食肉地方卸売市場で処理をされた後、日本格付協会の格付員により格付けされたもの
　認定頭数：4,148頭（平成18年度）

【認証団体】
　おかやま黒豚銘柄推進協議会

● おかやま地どり

　「地鶏」は、日本農林規格（通称：特定ＪＡＳ）によると、「在来種由来血液百分率が50％以上のものであって、出生の証明ができ、飼育期間が80

第1章　食の生産と製造・加工　●　33

日間以上で飼育密度が1㎡当たり10羽以下の平飼いであること」とされている。

「おかやま地どり」は、グルメ志向の高まりを受け、昭和63年に岡山県養鶏試験場で作り出された地鶏で、特定ＪＡＳの飼養基準を満たし、性質温順で飼いやすく、黒白横斑又は茶褐色横斑の混じった美しい羽を持っている。平成14年には、地鶏肉の特定ＪＡＳ規格として格付けされ、よりわかりやすい形で安全と安心を確保できるようになった。

おかやま地どりの肉質は、赤みを帯びて厚みがあり、適度な脂肪を含んでいる。肉味は粘りのある適度な歯ごたえと、特有のコクと風味があり、和・洋・中どの料理でも鶏肉本来の味が楽しめる。

【認定基準】
　在来種由来血液百分率：50％以上
　出生証明：岡山県総合畜産センターで生産されたひなであること
　飼育期間：90日間以上（平均95日間）
　飼育方法：平飼いで飼育し、密度は1㎡当たり6羽以下
　認 定 数：24,000羽（平成18年度）
　主 産 地：吉備中央町、瀬戸内市、津山市等
【関係団体】
　おかやま地どり振興会

4. 加工食品

● 米菓

　奈良時代にもち米を神前にお供えした後、ほうろく（ふちの浅い、素焼きの土なべ）でこれを焙って食べたのが、今日のおかきの原形といわれている。

　米菓には、「もち米」を原料とする「あられ・おかき」と、「うるち米」を原料とする「せんべい」の二種類がある。

　関西以西では、元来「あられ・おかき」が消費のほとんどを占めていたが、最近では「あられ・おかき」が70％、「せんべい」が30％の比率になっているようである。

　岡山県米菓工業協同組合での生産比率は「あられ・おかき」が全体の約80％を占め、年間生産量は約350tである。

　岡山県産水稲もち米を主原料とし、一部生産農家に委託し、こだわりのもち米を栽培してもらっているものもある。

　製法は、もち米のうま味を引き出してくれる伝統的な「せいろ蒸し・杵搗餅（きねつきもち）」を基本とし、衛生管理に気を配った近代的な設備で製造されている。

　焼き方、味付け方法は各社の創意・工夫で違っているが、「あられ・おかき」は、もち米、塩、醤油を原料としていることから、日本人の口によく合い、各人が商品を選ぶことにより体にあった塩分、油分の摂取調整ができ、餅の中に搗（つ）き込まれている副原料（大豆、えび、ごま、のり、昆布など）は体によい食品であるため、大いに食して欲しい食品（嗜好品）である。

　県内外のスーパー、百貨店、専門店、通信販売、あるいは工場直販を行い、消費拡大に努めている。

　　　　　　　　　（岡山県米菓工業協同組合）

● きびだんご

　きびだんごの原料のひとつである「黍」は、アジア、北アフリカ、南ヨーロッパなどで古くから栽培されてきた穀物であり、その後、日本へ伝来したと考えられている。黍は、湿原地を好まないため、瀬戸内地方を中心とする少雨地域に、黍栽培農家が集中している。この黍で作った団子は携帯食として重宝され、人々の生活に密着した食物であった。きびだんごは、まさに岡山の風土が生んだ自然の恵みであり、きびだんご作りが地元の農業との共生の上に成り立っていたと考えられる。

　きびだんごの歴史は、江戸時代に始まるが、当時のきびだんごは黍の粉で作られ、あんをつけたり、汁をかけて食べるのが通常で、かき餅のように四角く日持ちが悪かったようである。このきびだんごを茶菓子として、また旅の友にもなるよう日持ちをよくするため、もち米の粉に砂糖、水飴を混ぜて柔らかい求肥にし、黍粉を加え、現在の「きびだんご」とほぼ同じ製法が生まれた。

（岡山県菓子工業組合）

● 醤油

　普段、何気なく使っている代表的な調味料の醤油は、優れた発酵食品である。醤油は、主原料である大豆と小麦に種麹（麹菌）を加え、醤油麹とし、食塩水で仕込んだ「諸味」を発酵・熟成させることで、醤油独特の繊細複雑な味と食欲をそそる色や、芳ばしい香りが生まれる。

　麹菌が作る酵素は、大豆たんぱく質を分解し、うま味を構成する一つであるアミノ酸や苦味成分となるペプチド等を作りだす。

　小麦のでんぷんも分解され、甘みのもとである糖分ができる。さらに糖分は乳酸菌によって酸味

の成分である乳酸等に変わり、酵母はアルコール発酵を行い、香りの成分を作りだす。

　酵母や乳酸菌等の微生物は、空気中や諸味を仕込んだ蔵の中にも多くいる。この微生物の働きによって、6～7カ月間の長期間発酵・熟成させることで多くの味と香りの成分が醸成される。非常に多くの成分が含まれながら、味や香りのバランスが崩れないのは、長い熟成期間中、互いに作用し合い、微妙な調和を保っているからである。

　手間をかけて製造される醤油は、毎日の食卓を豊かにする多くの効果や効用が認められる。消臭効果もその一つであり、刺身に醤油を使うのは、風味のためだけでなく、魚の生臭みを消すためでもある。和食の下ごしらえ「醤油洗い」もこの効果を利用して魚や肉の臭みを消している。また、醤油には塩分と有機酸やアルコールが含まれているため、菌の増殖を抑える静菌効果があり、醤油漬けや佃煮等はこの効果を利用したものである。さらに甘みを一層引き立てる対比効果や塩味等を抑えて和らげる抑制効果など多くの優れた効果がある。

　岡山県下の醤油は、濃厚で甘口な上、塩分が低いのが特徴である。日本の醤油は5種類のおいしさとそれぞれの特徴と個性をもって、毎日の食卓に生かされている。

①濃口醤油
　岡山県下の醤油の生産の76％を占める。全国の醤油の生産量の80％が濃口醤油である。
②薄口醤油
　兵庫県竜野で生まれた醤油である。岡山県下の醤油の生産の16％を占めている。
③再仕込醤油
　山口県柳井で生まれた醤油である。別名「甘露醤油」「さしみ醤油」で親しまれている。岡山県

下の醤油の生産の8％を占めている。

④溜醤油

愛知県で生まれた醤油で、濃厚で独特な香りが特徴である。

⑤白醤油

愛知県碧南地方で生まれた醤油である。大豆の使用はわずかで主に小麦を原料として造られる。京料理には欠かせない醤油である。

（岡山県醤油工業協同組合）

● 味噌

麹味噌

白味噌

味噌は中国の醤（ひしお）を根源とし日本独特の製法で造られたもので、以来日本人の食生活の栄養補給の基本となった。最近ではガンや胃腸病の予防や体内の酸化防止作用が報告されており、酵素や微生物の働きは消化吸収を助けることも示されている。味噌の塩分を気にする人も多いようであるが、塩は体を維持する栄養素の一つでもあり、味噌は種々の食材とともにバランス良く栄養を摂取できる理想的な調味料といえる。味噌は使用する麹や味、色調で大別され、米を原料とした米麹を使った米味噌、大麦または裸麦の麹を使った麦味噌、大豆の麹を使った豆味噌がある。原料事情、気候風土、食習慣などの違いにより全国では地域独特の味噌が造られている。岡山は温暖な気候風土に育まれた良質な米を多く用い、ほどよい甘みを持つ米味噌の生産が最も多く、麦味噌も生産されている。塩分を減らして甘口に仕上げた白味噌は魚の味噌漬けなどに使用され、麹に使った米粒がみえる麹味噌も岡山の特徴である。

（岡山県味噌醸造協同組合）

● 茶

　日本では少なくとも奈良時代には、お茶が飲まれていたと考えられているが、それを普及させたのは、岡山県出身で臨済宗の開祖・栄西で、鎌倉時代に宋(中国)から茶の種を持ち帰ったのがきっかけである。

　その後、栄西はわが国最初の茶専門書「喫茶養生記」を著すなど、わが国の茶の祖とされている。

　このように、岡山県と茶との関わりは深く、今日でも後楽園では「栄西禅師賛仰茶会」や「茶つみ祭」が毎年盛大に開催されている。

　茶は、北海道を除き日本全国で約49,000haが栽培されており、主な産地は、栽培面積の多い順に静岡県、鹿児島県、三重県、宮崎県、京都府と続き、岡山県では約160haが栽培されている。

　岡山県の茶の栽培は、江戸中期には始まっていたとされており、今でも美作市海田や真庭市富原地区など県中北部の山間地で、霧が多く、水はけのよい傾斜地を中心に栽培されている。その他、新見市や高梁市、井原市などでも栽培されている。

　岡山県で栽培されている茶品種は、「やぶきた」種が90％以上を占めており、毎年5月10日ごろに一番茶の収穫が始まり、1年間に3回収穫される。

　岡山県では、全国的にも有名な美作（作州）番茶などがあるが、大半は、荒茶（露天栽培で収穫された生茶葉を蒸し、揉み、乾燥しただけの製品になる前の茶）の状態で、県外の茶市場や茶問屋へ出荷されている。

　近年の健康ブームを背景に、茶に含まれる機能性成分が注目されている。特にカテキン、カフェイン、テアニンなどは、がん予防効果、コレステロール調整効果、抗アレルギー作用、抗菌効果などの多くの研究成果が発表されている。

● テンペ（大豆発酵食品）

　岡山県にテンペが紹介されて約20年といわれている。その間、岡山県の指導を受けながら今日まで健康を担う食品のひとつとしてテンペに携わる多くの関係者、企業が普及に努めている。

　テンペとは、大豆をテンペ菌で発酵させたものである。同じ発酵食品の納豆に比べ、ネバネバ・臭いが無くなるような加工品を製造することができるのが特徴である。

　テンペ製造業者も県内約20社と全国トップクラスの数を誇る。様々な加工品販売や研究開発に取り組む研究会も頻繁に行われている。

　また県内には、製造体験施設があるなど日々の料理教室から各種コンテストまで、誰でもテンペに携われるようになっていることが大きな特色である。大豆の栄養的よさと微生物発酵のよさを兼ね備えた食品として消費者からも大きな期待が寄せられている。

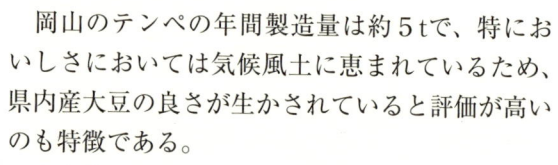

　岡山のテンペの年間製造量は約5tで、特においしさにおいては気候風土に恵まれているため、県内産大豆の良さが生かされていると評価が高いのも特徴である。

　各企業の取り組みの中で製造工程において一番のポイントは発酵温度の管理であり、テンペ菌を接種後、32℃で約20時間を管理することである。発酵がうまくいくと真っ白な菌糸が大豆の周りにできるので、肉眼でも発酵状態が確認できる。このような岡山らしさをいかしたおいしいテンペの取り組みは今後さらに数々のテンペ加工品を生産し消費者の健康作りを担うものである。

　　　　　　　　　（有限会社おくつテンペ工房）

● めん（麺）

　岡山県には、生めん類製造工場が平成18年度現在で57事業所あり、うどん（生めん、ゆでめん）・中華めん（生めん、ゆでめん、蒸しめん、皮類）・日本そば（生めん、ゆでめん）を製造している。平成18年の生めん類の生産数量は小麦粉使用で7,345t（冷凍めんを含む）である。

　全体の生産量は10年前と比較すると20％の減となっている。

　麺の製法は、原料小麦粉と水、副原料（塩〈うどん〉あるいはかんすい〈中華めん〉）を混合してから練って麺帯生地を作り、熟成（コシのある麺になる）した後、圧延して所定の太さの麺線にし、茹で上げた後、水洗い（麺がしまり艶やかになる）をする。

　めんの原料に使用する小麦粉は、うどんには中力小麦粉、中華めんには強力小麦粉が使用される。小麦粉の産地はオーストラリア産、カナダ産、アメリカ産が多いが、最近の地産地消の取り組みにより、国内産麦を使用した麺（うどん）の需要が増加してきている。しかし、生産量が少ないため、とても需要量に遠く及ばない。岡山県でもシラサギコムギという品種の小麦を使った麺の需要があるが、生産量・特性の問題から国内産小麦とのブレンド品として製造されているものが多い。

　岡山のうどんはコシがあり、のどごしがよくツルツル感があるのが特徴といえる。

　中華めんの形態には太麺、中細麺、細麺、縮れ麺等があり、ラーメンスープには味噌味、豚骨味（白濁、醤油）、鶏ガラ味、塩味等がある。ラーメンにはそれぞれ地域性があるが、岡山県では様々な組み合わせのラーメンが作られている。

　ラーメンには、テンペ（大豆発酵食品）を使用した「岡山テンペらーめん」、笠岡地鶏を使用し

た「笠岡ラーメン」、山の芋とれんげ蜜を使用した「津山らーめん」、いのししの肉を使用した「新見いのししラーメン」等々と御当地ラーメンが多く見られる。

一口メモ

食卓の難読集

胡瓜	→キュウリ
西瓜	→スイカ
玉蜀黍	→とうもろこし
蕪	→かぶ
牛蒡	→ごぼう
韮	→ニラ
山葵	→わさび
無花果	→いちじく
檸檬	→レモン
李	→スモモ
胡桃	→くるみ
滑子	→なめこ
鯵	→アジ
鰹	→カツオ
鰆	→サワラ
秋刀魚	→サンマ
鱧	→ハモ
河豚	→ふぐ
浅蜊	→アサリ
牡蛎	→カキ
烏賊	→イカ
海栗	→ウニ
醤油	→しょうゆ
味醂	→みりん
芥子	→からし
胡椒	→コショウ
蒟蒻	→こんにゃく

現在、岡山県産の麺商品の流通は、中四国・近畿・中部・関東地方などが中心で、少量ながら東北・北海道・九州地方にも拡がっている。
（岡山県製麺協同組合）

● 岡山の地酒

　岡山は、古来万葉の時より、豊かな自然と温暖な気候風土、肥沃な土壌による豊かな米、そして恵まれた水により酒が育まれてきた。

　「良い米ありて、良い酒を生む」。岡山の良質な酒米により「吉備のうま酒」は醸造される。岡山は、稲作に最適な気候風土に恵まれ、美味しい米の産地として知られる。米の中でも酒米は特に品質を問われるが、岡山では「雄町」「山田錦」「朝日」「アケボノ」など良質の酒米が作られている。中でも「雄町」は岡山が発祥の地で、酒造りには最適な酒米として「幻の酒米」ともいわれ、「山田錦」や「五百万石」など多くの酒米のもとにもなっている。現在県内の蔵元は県産酒の良さをアピールするため、「雄町米純米酒」に取り組んでいる。

　酒造りには水が欠かせない。「名水あるところ、名酒あり」ともいわれる。岡山は、県北の中国山地を水源として、「旭川」「吉井川」「高梁川」の三大河川による豊富な清水に恵まれている。酒造りの水としては、鉄分やマンガンなどが少なく、麹菌や酵母など酒造りに必要な微生物の働きを助けるカリウム、リン、カルシウムなどの成分が適度に含まれたものが良いとされる。県内各地の地下水は軟水で、カルシウムなどが含まれる酒造りには最適な水といえる。

　酒造りの技術は、地域により流派が異なる。岡山には「備中杜氏」という杜氏集団がある。元禄年間には、備中杜氏として酒造りに妙技をふるっていた。新しい技術をいち早く取り入れる進取の

気性に富むといわれ、備中流による酒は、淡麗にして「うま口」でさわりなく飲めるといわれる。備中流の技術はベテラン杜氏から若手杜氏に受け継がれ、時代とともに酒の好みが変わっても、岡山の酒の個性を醸しだしている。

(岡山県酒造協同組合)

● ワイン

　ワインには、赤、白、ロゼの3種類がある。赤ワインは、果皮の黒いぶどうをつぶして皮や種ごと発酵させる。発酵にはワイン用酵母、砂糖、亜硫酸などを加える。発酵が始まると糖分がアルコールに変化し炭酸ガスの泡が発生してくる。発酵期間は1〜4週間で、期間が長いほど皮や種子から抽出されるポリフェノールなどの成分が多くなる。主発酵が終了すると圧搾してワインと果皮や種子を分離し、熟成させる。熟成中にマロラクティック発酵を行うと、リンゴ酸が乳酸に変化し、まろやかな酸味になる。
　白ワインは、果皮の白いぶどうから皮や種子を除いて果汁のみを発酵させる。発酵温度は低めでフルーティな香りに仕上げる。糖分を残して発酵を停止させると甘口の白ワインに、糖分を残さず発酵させると辛口の白ワインになる。
　ロゼワインは、果皮の黒いぶどうを搾汁して果汁のみを発酵させる方法や、赤ワインの発酵初期に搾汁して発酵を継続させる方法などで製造する。
　岡山県では県産ぶどうから特色あるワインが作られている。赤磐市の是里ワイン醸造場は1985年に創業し、キャンベル、ピオーネ、マスカット、リースリング、ベーリーA（ベリーA）を原料としたワインを製造している。真庭市のひるぜんワインは、日本古来の野生ぶどうで蒜山に自生するやまぶどうを栽培し、1987年から赤色色素であるアン

トシアニンが非常に豊富な赤ワインを製造している。倉敷市のふなおワイナリーは岡山県で一番新しいワイナリーで、船穂で栽培されるマスカット・オブ・アレキサンドリアを原料に、2004年から香り高い白ワインを製造している。

　一般的に赤ワインは肉料理に、白ワインは魚料理に合うが、やまぶどうワインは「カツオのたたき」にもよく合う。それぞれのワインと相性の良い料理を探すのも楽しみの一つといえる。また、赤ワインに多く含まれるポリフェノールは、抗酸化活性が高いことが知られている。

第2章　おかやまの食文化

おかやま県内の郷土料理等、食にまつわる文化について紹介する。

1．おかやまの郷土料理

● サワラのこう(こ)ずし

　瀬戸内海の魚が最も美味な4月〜6月を備前市日生町付近では「魚島（うおじま）」といい、この時期に陸揚げされるサワラを使って、豊漁を祝い、漁業の安全を祈って各家庭でサワラずしを作る習慣が今も残っており、お祭りなどの行事で食べられている。

　初めは、他の材料を何も入れず、サワラそのものを賞味していた。ところが、すしの皿の端、または小皿に秋に漬けた「たくあん」（こうこ）を添えていたのが、いつの間にかすしの中に混ざりおいしかったことから、最初からこうこを入れて作るようになった。

　もっちりとしたサワラの食感とパリパリとした

――― 一口メモ ―――

食の方言
- こうこ → たくあん
- ごんぼう → ごぼう
- アラスカ → グリーンピース
- なすび → なす　・夏豆 → 空豆
- ぼっこー、ふてえ、でーこんをてーて、でーれーぎょうさんくうた。
  → 大変太い大根を炊いて、非常にたくさん食べた。
- 茶がみてたけえ、ついでちょうでえ。
  → 茶がなくなったので、ついでください。

歯切れのよいこうこの味、木の芽やグリーンピースの春らしい味がなじんだ漁村の素朴なすしである。

● しろみてずし

「しろみて（代満）」とは、「苗代がなくなる」という意味（「みてる」とは岡山の方言で「なくなる」の意味）である。地域によっては、しろみてを「田あがり」といい、田植えが無事に終わったことを祝ってご馳走を作っていた。

米どころの岡山では、昔から農作業が盛んに行われ、中でも田植えは一番大切な作業であった。田植えは、昭和40年ごろから機械化されるまでは大変な重労働であり、家族や親戚、隣近所で手伝っても1週間程度かかっていた。地域全体で無事田植えが終われば「しろみて休み」に入り、農家は「しろみてずし」を作り、田植えを手伝ってくれた方々へお礼の意味をこめて、「ごっそう（ごちそう）」として重箱に入れて配っていた。

一口メモ

けんびき焼き

旧暦6月1日は、「ろっかつ・ひてえ」といい、県中部以北では、ミョウガ焼きを作る。ミョウガ焼きは「けんびき焼き」ともいい、農繁期にけんびき（農繁期に働きすぎると「けんびき」という肩こりを起こしやすい）を起こさないように一服するときに食べるからこの名前が付いたという。

ミョウガ焼きは、小麦粉で作った皮に空豆で作った餡を包んで、これをミョウガの葉で包み、ほうろくで時間をかけて弱火で焼きあげる。

「しろみてずし」には、田植えのシーズンに採れる淡竹や真竹のほか、山菜、酢サバ、さんしょうの葉がよく使われ、家庭ごとに味の特徴がある「我が家の味」として親しまれていた。

● サバずし

　サバずしは、岡山県中部から北部にかけて作られる秋祭りの頃の郷土料理の代表的なものである。交通の便が悪かった昔、貴重なたんぱく源として、秋になると山陰の境港方面から来る行商からたくさんの塩サバを買い込み、秋祭りのごちそうとして作り、親類や知人に配り、祭りの後に行う稲刈り作業の合間の弁当として食べられていた。

　サバずしは、三枚におろして酢でしめたサバの下にたっぷりすし飯を入れるので、すし飯をまとめやすくするため、米にもち米を1割程度混ぜて炊くのが特徴である。そのため、もっちりとした食感と、酢でしめて脂ののったサバの濃厚な味がうまく調和して、ずっしりと食べ応えのあるおいしい郷土料理である。

　現在のサバずしには、頭を付けていないものが

一口メモ

無塩（ぶえん）

　コールドチェーン（生産、輸送の過程で低温に保つ物産システム）による流通が一般的になる前、魚は塩干物が主だった。生魚（鮮魚）は無塩（ぶえん）といって尊ばれた。塩物や干物は、焼いて食したが、味付けするときには塩物は水で塩出しをし、干物は水で戻した。

　無塩（ぶえん）のものが食べられるようになったので、塩の摂取量が減り、胃ガンが少なくなったともいわれる。

多いが、昔は「頭付き」のものも多く作られていた。

● クサギナのかけ飯（めし）

　クサギナは、昔からおいしい山菜の一つに数えられており、県下の山野に自生しているクサギの若葉を採って乾燥させたものである。クサギは「臭木」と書くほど匂いがきつく、道を歩いていてもクサギのあることがわかるくらいである。クサギには摘み時があり、県中北部では新芽が出る５月下旬、ちょうど田植えの頃の小さ過ぎず、大きくなり過ぎない卵大の若葉を選ぶ。

　干し方は、摘み取った葉をさっとゆで、水にさらしてアク抜きをし、ザルにあげて天日でよく乾燥させる。クサギは大変アクが強いので、何度も水を換えて十分にアク抜きをしておくことがポイントである。

　クサギナのおいしい食べ方は「かけ飯」である。作り方は、水でゆっくり戻したクサギナを小さく切って多めの油で炒め、ゴボウ、ニンジン、シイタケ、鶏肉などを炒めたものと合わせて下味をつけてご飯の上に盛り、別に鶏のガラでとっただし

――一口メモ――

汁かけ飯（めし）

　主食としての米の料理は、白飯、混ぜ飯、すし、丼、汁かけ飯に大別される。

　めしに具と汁をたっぷりかけて食べるのが汁かけ飯である。県内各地にその土地ならではの食材を使った汁かけ飯が作られてきた。県南ではふな飯、旭川、吉井川の中流域ではズガニのかけ飯、県中北部ではクサギナのかけ飯等があり、中国山地では麦飯にとろろ汁をかけて食べる麦とろもかけ飯にもなる。

汁を全体にさっとかける。特に、ヤマドリやキジの肉で作るかけ飯は昔からごちそうとされている。

● アナゴ丼

アナゴは汽水（淡水と海水が混ざる区域）域に生息しており、三大河川が海に注ぐ河口付近でよく獲れる魚である。形はウナギに似ているが、ウナギより脂肪が少なく、淡白な味が好まれている。アナゴは、「1年のうちでまずい日が3日しかない」といわれるように、年間を通じて味の良い魚であるが、7月～10月ごろのものが一番おいしいとされている。

アナゴ丼は、かば焼きにしたアナゴをゴボウの炊き込みご飯と合わせた郷土料理で、ウナギほど脂っぽくないアナゴとゴボウのシャキシャキした歯ごたえ、タレの染み込んだホカホカのご飯が絶妙に調和したどんぶりである。

● ズガニのかけ飯

ズガニは、正式には「モクズガニ」といい、吉井川、旭川、高梁川の三大河川のある岡山県では昔からよく獲られていた。

ズガニは、3月末～6月ごろまで河口から川上へと遡上し夏を上流で過ごした後、秋になると産卵のため海に向かって川を下り始める。このころのズガニは大きく成長して脂がのっており一番おいしいといわれている。地元の人たちは、主に河川中流付近において捕獲し、しばらくの間「生きふね」という籠に入れサツマイモやダイコンなどの餌を与えながら飼い、必要に応じて食卓にのせていた。

「ズガニのかけ飯」の作り方は、まず、甲羅と袴をはずして包丁の背でたたくかミンチにし、す

り身にする。これをだし汁の中で煮て、ゴボウ、シイタケ、ニンジン、ダイコン、油揚げ、豆腐、ネギを加え味付けをしたものを、アツアツのご飯にかけて食べる。カニ特有のコクのあるうま味が特徴である。

ズガニのかけ飯のほか、「かに団子」もよく作られていた。

> **一口メモ**
>
> **煮こごり**
>
> 　川で獲って食べていたのは、ズガニのほか、あゆ、どじょう、どんこ、はや（はえ）、ふな、なまず等、貴重なたんぱく源だった。
>
> 　総社地方では、川のほとりに群がっている小さい魚（これを「ごまん」とといった）を炊いて、凝固させ食べていた。いわゆる「煮こごり」が非常においしかったそうだ。

● **どどめせ**

瀬戸内市長船町で、祭りなど人がたくさん集まる時にふるまわれた料理である。作り方はばらずしに比べ簡単で、小さく切ったタケノコ、フキ、

> **一口メモ**
>
> **五目ずし、五目ご飯**
>
> 　今晩のおかずは何にしようかと迷ったとき、よく作られていたのは、五目ずしや五目ご飯である。いろいろな材料をいれるので、「五目」で、簡単に手に入る具、ちくわやいりこ、かんぴょうや干しシイタケ、ニンジンやゴボウを小さく刻み、醤油で味を付け白飯や酢飯に混ぜて作るので、まぜ寿司、まぜ飯ともいう。

キノコなどの具を炒めて味付け後、米といっしょに炊き、合わせ酢を入れて蒸らす。あとは、すしと同じように切るように混ぜ、錦糸卵やアナゴなどを上にのせるだけである。ばらずしは冷たくなったものを食べるが、「どどめせ」は出来立てのアツアツを食べることがポイントである。「どどめせ」とは、「どぶろく飯」がなまってできた言葉ともいわれ、その昔、かやくご飯を炊いている時に誤って酸っぱくなったどぶろくが入ってしまったが、意外にもすしのように酸味が利いておいしかったことが始まりといわれている。

● 蒜山おこわ(ひるぜん)

蒜山地方の郷土料理で、もち米に山菜、栗、キノコ、鶏肉などをたっぷりと使ったヘルシーな五目おこわである。この「蒜山おこわ」の特徴は、小豆の代わりに「栗」を使用することと、もち米に「押麦」を加えることである。押麦を入れると口当たりも良く、胃のもたれを少なくし、おこわのやわらかさを長持ちさせる。

一口メモ

蒜山おこわの由来

蒜山のふもとから、五目おこわを作ろうとの声が出て、昭和35年頃加える具材や水加減を工夫してできたのが蒜山おこわである。大山おこわには小豆が入っているが、蒜山おこわはその代わりに栗を入れた。

昭和47年頃、「麦を食べましょう運動」が展開され、麦を入れてみたら、胃のもたれもなくて大変おいしかったので、それ以降、餅米の2割程度の麦を混ぜて作られるようになった。

● フナ飯(めし)

　「フナ飯」は、岡山県南一帯に伝えられている郷土料理である。

　フナが一番おいしいのは冬で、「寒ブナ」といって脂がよくのっているフナを使用する。作り方は、頭、はらわた、鱗を取り除いたフナを、包丁でよくたたくかミンチにし、これを骨がほとんど触らなくなるまで繰り返す。その後、生姜汁を落としながらフライパンでよく炒めて臭みをやわらげ、ニンジン、ゴボウ、サトイモ、油揚げ、だし汁などを加え調理し、アツアツのご飯にたっぷりかけて食べる。

　フナ飯は、フナをトントンたたいて作ったことから、「トントン汁」とも呼ばれ、寒い冬の貴重な栄養源として重宝がられていた。

● サワラの炒り焼き

　「日生千軒漁師町」とうたわれた日生を代表する料理である。豊漁の際はあまりに忙しくゆっくりと食事をとる暇もなかったことから、醤油を入れた鍋にサワラの切り身を入れたが、食事の時間を惜しんで半煮えのものをすばやく食べたところとてもおいしかったことから生まれた料理である。

　鍋に醤油、砂糖、酒でタレを作り煮立ったところに刺身より少し厚めに切った新鮮な皮付きのサワラを箸に挟んだまま入れる。少し火が通ったぐらいが食べごろである。

　刺身と魚すきの中間のようで、表面は温かく、中身はひんやり、もっちりとして、酒の肴やご飯のおかずとして作られている。

シラウオの卵とじ

　シラウオはシラウオ科の魚で、体長が10～15cm程度まで成長する透明な体をした魚である。旭川、高梁川、吉井川の河口付近で、毎年2月から3月下旬にかけて海から産卵のために上がってきたところを四ツ手網で獲るシラウオ漁は、瀬戸内の春の風物詩であった。
　豊富に獲れていた頃は、河口付近に住む人々の普段の食べ物で、シラウオの卵とじは、ふわふわとした食感が口の中に広がる早春の風味として好まれていた。
　岡山県の特産の黄ニラを加えた、「シラウオの黄ニラ卵とじ」は、懐かしい岡山の郷土料理である。

ベラタの酢味噌かけ

　ベラタはアナゴの幼魚で、体長約10cm、厚み約1mmの偏平な形をした透き通った魚である。1月～3月ごろの春の短期間にしか味わえない珍味でツルツルっとした舌触りが好まれている。ベラタを食べる習慣があるところは全国でも限られており、新鮮なベラタを薄い食塩水でさっと洗った後、水気を切って酢味噌で食べれば、まさに岡山の早春の風味である。

ベカの木の芽和え（夏）

　「ベカ」とは「ベイカ」のことで、瀬戸内地方でよく獲れる小型のイカである。米の粒を小さくしたような卵がいっぱい詰まっているから「米烏賊」とも書かれる。光に集まる習性があることから、初夏の夕方に電灯などの明るいもので海面を照らし、寄ってきたところを四ツ手網ですくって獲る。

第2章　おかやまの食文化

新鮮なベイカをさっと塩ゆでした後、木の芽和えや辛子味噌和えにして食べる。さっぱりとした酒の肴として好まれている。

● ネブトの落とし揚げ

ネブトとは、「イシモチ」と呼ばれる小魚である。体のバランスをとったり、周囲の音を捉えるために頭部にある耳石が特に大きいため、石を持っている小魚「石持ちじゃこ」とも呼ばれている。昔から瀬戸内でよく食べられており、小骨は多いが、味はタイに似て淡白である。新鮮なネブトの頭とはらわたをとり、包丁で丁寧にたたき、すり鉢ですり身にしたものに野菜、豆腐、卵等を混ぜて、

一口メモ

食にまつわることわざ
「師走筍寒茄子」
（しわすたけのこかんなすび）

「師走」は12月、「寒」は立春前の30日間で、1年で一番寒い時期のことである。師走にタケノコ、寒の時期にナスが採れるはずがないため、手に入りにくいもののことをたとえている。岡山県では、タケノコは倉敷市、ナスは岡山市で生産されているものが有名である。

「フグは食いたし命は惜しし」
フグはテトロドトキシンという毒を持っている。おいしいフグを食べたいが、毒のことを考えたら手を出しかねるという意味である。岡山県では「岡山県ふぐ調理等規制条例」で、条例に基づく登録者が、届出を行った施設で調理、加工を行ったフグ以外を販売してはならないことになっている。

一口大の団子にし油で揚げたものである。小骨ごと料理するのでカルシウムの供給源でもある。

● アミとダイコンの煮付け

アミはエビに似た形で、体長1.5cmほどの透き通った体に、赤く長いひげがある。昔は秋になると瀬戸内海の沿岸にアミの群れが押し寄せてきて、海面が桜色に染まるほどだった。

アミとダイコンの煮付けは、「アミダイコン」と呼ばれ、アミと下茹でしたダイコンを醤油、酒、砂糖で味付けした簡単なものであるが、脂ののったアミの磯の香りとさっぱりとしたダイコンの甘みが絶妙に調和した庶民の味である。

● アミの塩漬け

アミダイコンと同様に、アミを使った岡山の代表的な郷土料理である。おいしく漬けるコツは、塩加減とアミの新鮮さであり、洗ったアミを20％程度の塩で漬け込み、しんなりしてくればでき上がり。日持ちもよいので、昔から新鮮なアミがたくさん手に入ったら作り置きをして保存食として蓄えていた。脂ののったアミの磯の香りと塩辛さが、ご飯によく合い、酒の肴にもなる。東京湾や有明海でもよく獲れていたが、昔から「備前児島湾産の漬けアミは天下一品」と定評があった。

● サバの煮食い

秋から冬にかけて脂がのり一段とおいしくなった春サバを「煮食い」にする料理である。三枚に下ろしたサバを一口大に切り、旬の野菜と一緒にわり下で煮込むので「サバすき」とも呼ばれるが、岡山県では昔から「煮食い」と呼ばれてきた。醤

油の味がしみ込んだサバはご飯のおかずとしてよく合う。サバには、生活習慣病の予防になるエイコサペンタ塩酸（ＥＰＡ）が豊富に含まれている。

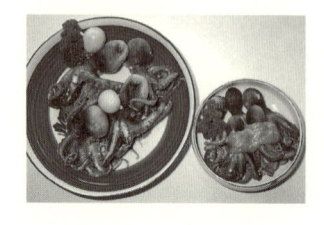

● イイダコの煮付け

　下津井、玉野、牛窓付近では昔からイイダコがよく獲れる。イイダコは体長約20cmの小型のタコで、体の内部に直径5～6mmの米粒状の卵を300～500粒持つことから「飯ダコ」と呼ばれる。
　新鮮なイイダコを塩でよくもみ洗いし、ぬめりを落としよく水を切ってから、酒、砂糖、醤油、みりんで調味して煮る。新鮮なイイダコは、柔らかく弾力があり歯ごたえもよく、酒の肴として好まれる。

● 柿なます

　庭先の柿の木に実がたわわに実る里山の風景は、日本の秋を代表する風景である。柿の実はそのまま食べてもおいしいが、千切りにしたダイコンに入れて作る柿なますも郷土料理の一つである。柿にはビタミンＣが多く含まれており、さっぱりとしたダイコンに柿の甘みが加わって、おいしい一品になる。

● はりはり漬け

　切り干しダイコンは、昔から県北部で作られるダイコンの乾燥品の代表的なものであり、雪に閉ざされる前の冬支度の中で保存食として作られた郷土料理である。秋から冬にかけて収穫したダイコンを薄く切り、むしろに広げて一昼夜寒風にさらし、天日乾燥して作る。
　切り干しダイコンには、腸を刺激し便通を良く

するリグニンという食物繊維が多く含まれており、コレステロールを吸収して排泄し、大腸がんを予防する効果がある。酢を加え、弱酸性にするとリグニンが増加しいっそう効果が上がる。

切り干しダイコンを水で戻し、調味液に漬けたものが「はりはり漬け」であり、パリパリとした歯ざわりが、ご飯のおかずとして好まれている。

● 雑煮

雑煮は、旧年に感謝し新しい年の初めの祈りを込めて家族そろって食べるものでお正月には欠かせない行事食である。雑煮とは「雑多煮」を意味するもので、いろいろな具を入れて煮るのが習わしである。仕立て方や入れる具は地方によっても、また、家庭によっても特色がある。岡山県の雑煮

― 一口メモ ―

調理のコツ①
「ほうれん草を茹でるときは塩」
　ほうれん草や春菊などの野菜を茹でるとき、塩を入れる。これは塩を入れることで、湯がアルカリ性になり、野菜の緑色がきれいになるためである。日本料理では、塩を入れて茹でることを「色止め」という。

「さつまいもの加熱」
　さつまいもには「アミラーゼ」という酵素が含まれていて、加熱されるとこの酵素が働き、多くの糖分を作る。しかし、電子レンジで加熱すると、この酵素が働く前に加熱が終了してしまうので甘味が少なくなってしまう。手間をかけて料理をする方が甘くなるということである。

は、一般に丸餅を使い、「小豆雑煮」、「澄まし雑煮」、「味噌雑煮」に分類される。最も多く食べられているのは「澄まし雑煮」である。入れる具はその地方の特産物が多く、県中北部ではダイコン、ニンジン、サトイモ、ゴボウ、ネギ、ユリネ、スルメなど、県南部では、カマボコ、エビ、カキ、モ貝、ハマグリ等の海産物が増えてくる。その中で県下どこの地域においてもよく使われているのがブリである。真庭市北房地区の「ブリ市」は有名であるが、かつて海の幸が手に入りにくかった時代に、ブリは年に一度のぜいたく品として、また、ブリは出世魚として縁起がいいことからもお正月の雑煮によく使われるようになったといわれている。

　県外に住んでいる人も、お正月の雑煮だけは、「丸もちのブリの入った澄まし雑煮」でふるさと岡山を思い出す人も多いのでは。

2．郷土料理に関する考察等

● ばらずし

　ばらずしは、岡山の伝統食として世に喧伝され、郷土料理の筆頭といわれている。他県においてもばらずしの名前は残っているが、これらは「おこしずし＝熟れずしのなごりで型に詰めて馴じませた鮨」に対するもので、ほとんどが「ちらしずし」に属するものである。ちなみにちらしずしは、江戸（東京）の伝統食である。岡山のばらずしは、「五目めし」から生まれたという伝承があり、ちらしずしとは発祥が異なる可能性がある。

　岡山のばらずしに関しては、次のような伝承がある。
①鎌倉時代、福岡（瀬戸内市長船町）の宿の食堂で、五目飯に熟成し過ぎた酒（すっぱい酒）が偶然

振り込まれたことで、おいしいすしが生まれた。
② 江戸時代、贅沢を戒めた御触れに反発した庶民が、重箱の底に豪華な具材を隠し、その上に酢めしをかぶせて質素に見せかけて取り締まりを逃れた。
③ 代々受け継がれた我が家のばらずし作りが下手だと姑さんに叱られ、とうとう離縁された。

など、いずれも確実な裏付け（古文書など）はないが、ユニークな言い伝えである。

―― 一口メモ ――

調理のコツ②
「料理のさしすせそ」
　調味料は、「さしすせそ」の順に入れることを聞いたことがあるだろうか？これは、「さ（砂糖）」、「し（塩）」、「す（酢）」、「せ（醤油）」、「そ（味噌）」で、塩を先に入れてしまうと、他の調味料がしみこみにくくなる。よって、砂糖を先に入れ、また他の調味料は風味を味わうものなので早く入れるとせっかくの風味が飛んでしまう。

「トマトの臭み消し」
　トマトには特有の青臭いにおい成分があるが、この成分は料理素材のもつ生臭みを消す効果を持っている。このため、トマトと肉を一緒に煮込むと肉の臭みが消えるのである。

「リンゴの褐変」
　リンゴを切ってしばらくすると、切り口が褐変してしまう。これはリンゴに含まれる酵素が酸素と反応して色が変わるためである。褐変を防ぐには、切ったあと食塩水につけておくなどして、酸化を防ぐことが必要である。

岡山のばらずしの特徴は、具材の多いことである。季節の魚介類、野菜など身近な素材を上手に組み込んで豊かに仕上げてきた。基本味として、サワラ（初夏はヒラ、晩夏はハモで代用）の絞め酢が混ぜ込まれるほか、カンピョウや干しシイタケのおいしい戻し汁、サワラのアラを炊いた汁で根菜類を煮た。また、彩りが豊かで、赤（エビやショウガ）、緑（絹さやエンドウ、ミツバ）、黒（シイタケ）、黄（錦糸卵）、茶（カンピョウ、焼きアナゴ）など見た目にも美しいすしである。

　ばらずしは、具材の種類が多く調理工程が多岐にわたるため、大勢の人が集まって多量につくり、会食し、また、一部は隣近所はもとより、親戚や懇意な家、お世話になった人などへ配っていた。家と家との絆として、また、人と人とのコミュニケーションに大きな役割を果たしていた。

　栄養面では、炭水化物の米が5割、ビタミン、ミネラル、繊維質に富んだ野菜類が3割、良質のたんぱく質を含む魚介類が2割とバランスのよい構成である。

　現在の日本では、おいしい料理が氾濫しているほか、核家族化や地域活動の減少等の理由により、ばらずしを作る機会が少なくなったが、次世代へ継承していきたい郷土料理である。

（窪田清一）

● 鰆（サワラ）

　サワラと岡山県人との関わりは古く縄文時代まで遡り、岡山市灘崎町彦崎貝塚から出土している。また、江戸時代の岡山城下の段からも出土し、城内で食されていたことがわかっている。

　名の由来は、貝原篤信著『日本釋名』(にほんしゃくみょう)（元禄20年＝1699）には、「馬鮫魚(サハラ)　さは狭なり　せばき也　はらは腹也　此魚長大なれども腹せまく小

也」と記載されており、「狭腹(さはら)」が語源とある。また、小型のものを「さごし」というが、これは、「狭腰(さごし)」の意である。

　サワラは、現代でも全国的に焼き物、煮物、蒸し物などで食されているが、岡山の食文化の特徴の一つとしてサワラを刺身で食することがあげられる。この食習も近年の研究により、文明4年（1482）の『吉備津宮舊記(きびつぐうきゅうき)』三の膳に「さわらさしみ」の記載があることが確認され、この食習が室町時代まで遡ることがわかった。

　また、同書の二の膳に「うおのこ」の記載があり、この献立が卯月のものであるからサワラの真子の可能性が考えられる。

　その他、刺身以外で現代に伝わる代表的な郷土料理の「こうこずし」の料理法が古典料理書に記載されている。残念ながらサワラでなくタイを用いているが、江戸時代にまで遡る料理法であることがわかっている。

　また、日生名物「いりやき」については、調理名が江戸時代の料理書に記載があるものの、現代と作り方が違っている。したがってこの料理は近代になって考案されたと考えられる。

　サワラは、瀬戸内海の水温が15度を超える4月〜6月にかけて産卵のために群れを成して入ってくる。備讃瀬戸は、瀬戸内海の中央に位置し、多くの魚介類が生息しているが、この海でサワラは、もっとも大型でしかも大量に獲れる魚なのである。このことからサワラは、流通手段の無い昔の岡山人にとって特別な意味があったのであろう。

（岡嶋隆司）

備前水母(びぜんくらげ)

　この水母は、学名をビゼンクラゲと言い、かつて児島湾や片上湾などで獲れたもので、現代では、姿を消した備前の名産である。

　食の歴史は古く、平城京出土の木簡(もっかん)に「備前国水母別貢　御贄弐斗」裏面には、「天平十八年九月廿五日」とある。天平18年は、西暦に直せば747年であるから、今から1260年前の奈良時代には、都へ献上される名産であったことがわかる。

　また、平安時代の『延喜式(えんぎしき)』にも「諸國列貢御贄　備前水母」とあり、同時代の『類聚雑要抄(るいじゅうざつようしょう)』に書かれた大饗料理の図中にも「海月(くらげ)」の文字がみられ、儀式料理にも用いられていたことがわかる。

　江戸時代になると『日本山海名産図会(にほんさんかいめいさんずえ)』に「諸州に産して備前殊に名産とす」とある。全国ブランド「備前くらげ」の誕生である。その製法は、「備前は櫟(くぬぎ)の葉を少し炙り臼にて春(うす)塩水(つき)に和し浸しなり」とあり、備前紫漬(びぜんしばつけ)と呼ばれていた。また、出来上がりの色から黒くらげとも呼ばれていた。古典料理書には、幾つかの水母料理が記載されている。多くは、今日と同じく和え物や酢を用いているが、吸い物や刺身のあしらい物などにも用いられている。

　長い時代にわたり全国に名を知られた備前水母であるが16世紀後半になると児島湾の干拓が始まる。最終的には、児島湾の締め切り堤防の完成（1959年）により、児島湾は、約10分の１面積となり、備前水母をはじめとする多くの産物が米と引き替えに姿を消したのである。

（岡嶋隆司）

● 目張（メバル）

　本来メバルとは、全国的に黒色をしたものを指すが、岡山では、この魚を「浮磯メバル」略して「うきそ」と呼んでいる。一方、全国的に笠子と呼ばれている赤色のものを岡山では「メバル」という。つまり全国と岡山では、呼び方が逆なのである。また、黒のメバルよりも赤のメバルを好む食習がある。これはどうしてなのだろうか。

　我が国の生活習慣で今日では、あまり知られていないが「陰陽道」の思想が浸透している。これは、料理界にも同じである。陰陽とは、陽が物事の表で陰が裏の考え方である。色彩についても同じで陽が赤、陰が紫である。このことから赤のメバルを好む食習は、陰陽の思想から来ているのかもしれない。

　平成4年～7年にかけて岡山城中の段の発掘調査が行われ、当時のゴミ穴から多数の食物残滓が出土した。この資料の中からメバル類の骨も検出されているが骨を見ただけでは、赤メバルなのか黒メバルなのか判断できないためフサカサゴ科として報告された。これらの資料も上記のように陰陽思想が当てはめられるのであれば、岡山好みの赤メバルといえるのかもしれない。

（岡嶋隆司）

● どぶろく特区

　どぶろくは米を洗米、浸漬後、蒸し米を作り30度以下に放冷して、米麹と水そして酒母（酵母を培養したもの）を加えて、アルコール発酵させるもので、米のデンプンを糖に変えるコウジカビの酵素と、糖をアルコールに変える酵母の働きを巧みに利用した製造方法で製造される米粒等が混じった状態の白濁した酒である。

どぶろく製造には酒税法に基づく酒類製造免許が必要である。免許取得の要件には、年間6kl（一升瓶で3,333本）以上製造しないと、製造免許を受けることができない最低製造基準があり、小規模な製造では免許を取得できなかったが、平成14年から構造改革特区（いわゆるどぶろく特区）認定制度が制定され、特区内で民宿等を営む農業者が、自ら生産した米を原料として、濁酒を製造する場合に限って、最低製造基準が適用されることなく製造免許が取得できることになり、どぶろく製造への道が開けた。

現在岡山県内では、平成18年3月31日に美作市が「美作の国・賑わいのある田園都市特区」、同年11月16日に津山市が「うまし国濁酒特区」として、どぶろく特区認定を受けている。そして、美作市では濁酒の製造販売が始まっている。

● 津山地方での牛内臓肉の名称

牛の内臓肉や副生物はレバー、センマイ、タンなど20種類以上あり、津山地方には標準的名称とは別に、地域特有の名称が多く存在している。それらは、食肉処理作業の体験や内臓の形態から命名されたもの、語の言いやすさから命名されたもの、何らかのいわれから命名されたものなどがある。

代表的な臓器について、標準的名称と津山地方特有の名称を比較し、命名の理由について分類する。なお、（　）内の名称は、解剖学、畜産学的名称である。

標準的名称	津山地方特有の名称	命名の理由
ハツ・ココロ（心臓）	ハート	英語だが語の言いやすさ。
ハツモト（上行大動脈・大動脈弓等）	ヨメナカセ	切るのに嫁が泣くほど硬い。
		嫁が泣くほど美味。

レバー・キモ（肝臓）	カラス	カラスのように黒い。
ハラミ（横隔膜）	オーカク・タレ	語の言いやすさ、垂れ下がって枝肉に付いている。
センマイ（第三胃）	チョウメン	ノートのように多くのヒダがある。
ギアラ（第四胃）	チョウメンカブ	同上
タチギモ・チレ（脾臓）	コシ	体内における位置。
フエガラミ（気管）	ノドガリ	命名の理由不明。
フク・フワ（肺）	スポンジ	触感から命名。
テール（尾）	シッポ・オノミ	一般名等を使用。

　さて、BSE（いわゆる狂牛病）発生以来それまで食用とされていた、ブレンズ（脳）・セキズイ（脊髄）・ミミ（側頭筋）・回腸の一部はすべて焼却処分されることになり、現在は、安全な食肉や内臓だけが流通するよう、岡山県食肉衛生検査所で厳しく管理や検査がなされている。

○と畜場で焼却処分される部位
　脳・目・せき髄・回腸（盲腸の接続部位から２メートルまでの部分）・舌と頬肉を除く頭部筋肉

● 笠岡ラーメン

　かつて養鶏業が盛んだった頃の笠岡で生まれたご当地ラーメン。基本的な「笠岡ラーメン」は、豚肉のチャーシューの代わりに「かしわ」を使い、また鶏がらで取ったスープをベースにしたものである。そのあっさりした味わいは、朝食代わりにも食べられたほどであり、昨今のラーメンブームを受け、全国的にもにわかに注目を集めるようになっている。

　鶏がらスープと「かしわ」のみのラーメン、鶏がらスープに魚出汁を合わせて「かしわ」をのせたラーメン、鶏がらスープでありながら焼豚を

使ったラーメンなど、店それぞれにオリジナリティを探求して私たちの舌を楽しませてくれている。

(笠岡市産業振興課)

● しまべん

　笠岡諸島の高島、白石島、北木島、真鍋島、飛島（大飛島・小飛島）、六島の有人7島の島民たちが島の活性化のために創作した「島の弁当」。テレビ番組の企画から始まったもので、「駅弁」「空弁」があるなら島で作る「しまべん」があってもいいのではという発想から生まれた。それぞれの島でとれた旬の素材を使って、特色豊かなしまべんを作っている。

　今も開発・改良が行われているが、現在のところの各島のメニューは以下のとおりである。

　高島は、海産物を中心とする具材とそぼろご飯が特徴の「しまかぜ弁当」。ご飯はえびこ・すずきのフレーク・ひじきのおこわ寿司・梅肉の4種類。

　白石島の「よろこんぶ弁当」は、島の特産「とろけるこんぶ」を使った昆布飯をベースに四季の具材をちりばめている。

　北木島は2種類のしまべんがある。ひじき入りのいなり寿司で島の特産である「北木石」を表現した「石切べんとう」と、北木島の伝統行事「流し雛」に添えられるあさりずしに、ママカリずしと旬の野菜でまとめた「北木の春」。

　海の幸豊富な真鍋島では、蒸しあなごをチラシずしの上にのせ、おかずには旬の魚のつくね、旬の野菜をあしらった「あなご寿司」。

　うどんで来客をもてなす風習がある飛島では、うどんを使ったちらしずし風の「潮騒弁当」。うどんは島の特産品「椿油」と「青海苔」を練りこんだ手打ちで、しょうが風味のたれは、とろみを

つけてあんかけ風に工夫している。

　六島の「めで鯛なあ」は、島の沖で獲れる天然の鯛をふんだんに使った鯛飯。おかずは島に自生する「いたどり」などの素朴な素材を使用している。

（笠岡市産業振興課）

● 鯛の浜焼き

　江戸時代、鯛を保存のために砂浜に埋めて蒸し焼きにしたのが始まりとされ、瀬戸内海の春の味覚として知られている。

　笠岡近海で獲れた天然の鯛から内臓を抜き取った後、味を調えるために食塩水を注入。１匹ずつ稲わらで包んで蒸しあげ、一昼夜自然乾燥させたら竹製の伝八笠で梱包してできあがる。主に贈答品として人気があり、京阪神・九州方面にも出荷される。

（笠岡市産業振興課）

● カキオコ

　カキオコとは、瀬戸内の海のミネラルをいっぱい含んだ日生の特産のカキがいっぱい詰まったお好み焼きのことで、「日生カキお好み焼き研究会」（通称：カキオコ研究会）がネーミングした。

　日生カキお好み焼き研究会は、岡山に通勤する日生や赤穂の仲間がＪＲ赤穂線の中で、飲んだり語り合ったりするうちに、「日生」特産のカキをふんだんに使ったお好み焼き（カキオコ）と漁村の町並みと人情を楽しめる町として、全国、さらには全世界に発信しようという冗談から始まった自主的な研究会である。

　広島風でも大阪風でもない日生のお好み焼き店の多くは、山盛りの千切りキャベツにトロトロの生地をサッと混ぜて、パァーッと鉄板に広げて焼

き、その上にたくさんのカキをのせ焼き上げる。

　キャベツの甘みとモッチリした食感が楽しめる。この焼き方は、広島風と大阪風の中間的な焼き方で、このお好み焼きは、正式には定かではないが、昭和40年代から始まったと言われている。

　日生には12軒ほどお好み焼き店があり、そこで食べることができる。過去5年間（02年～06年）で、テレビ・ラジオ・新聞・雑誌等マスコミに137件登場した（研究会調べ）。これにより、冬季は、全国（北は秋田、南は沖縄　研究会調べ）から多くの方が来られ、各店は長時間（最高2時間30分待ち　研究会調べ）の行列ができるほどである。

（備前市商工観光課）

カキオコ

研究会で屋台を出店
（ゴジャバコ屋）

一口メモ

季節の料理

柏餅

　柏の葉は新芽がでるまで葉が落ちないことから、江戸の武家などで家来永続の縁起をかついで節句菓子として柏餅を食べるようになったといわれている。端午の節句といえば、関東では柏餅、関西ではちまき。

桜餅

　桜の季節になるとお店に並ぶ桜餅。実は桜餅は関西と関東で形が違うのをご存じだろうか？関西では、道明寺粉を用いて粒々が残った餅であんを包み、「道明寺」と呼ばれている。関東ではクレープのように餅を薄く焼いた生地であんを包み「長命寺」と呼ばれているそうである。

津山のホルモンうどん

　津山の特産品といえば「牛肉」。旧国名の美作から作州牛肉と呼ばれ、地元はもとより、観光客にもその肉質に高い評価を得ている。特に、津山地域では牛肉の中でもその内臓であるホルモンがよく食され、他の地域ではあまり食されない様々な部位を味わうことができる。これは、岡山県の北部が、古くから畜産業が盛んな地域で、かつては農耕用に利用されていた和牛の改良に努め、優れた血統の和牛の創出に多くの農家が取り組んでいるからで、今でも繁殖を中心に多くの和牛が生産されている。

　ホルモンがよく食されるようになったのは、津山にと畜場、いわゆる食肉処理センターがあることが大きな理由といえる。牛肉の産地では、新鮮なホルモンを容易に手に入れることができ、このことが、市内の飲食店を中心に多くのホルモン料理が出されるようになったようである。その中でも通称「ホルモンうどん」、正式には「ホルモン入り焼きうどん」であるが、市内のほとんどの鉄板焼きの店では、このホルモンうどんを味わうことができる。店によって味付けは異なるが、醤油味、ソース味、またたっぷりの野菜と合わせてのものや、バラエティに富んだ様々なタイプのホルモンうどんを賞味することができる。

（津山市商工観光課）

ホルモンうどん

蒜山ジャージー牛の乳製品

　蒜山地域は古くから農業が盛んであり米とタバコが主要な作目であったが、積雪寒冷地の冬期所得確保を目的に、昭和28年の蒜山地区酪農振興計画（生乳受入工場の設置、ジャージー牛の導入）、農水省の高度集約酪農地域の指定を受けてジャー

ジャージー乳製品

第2章　おかやまの食文化

ジー酪農が導入された。

　ジャージー牛は、世界の5大乳用種の中で最も高い乳成分をもつ小型の牛で、牧草を消化する能力が高い。非常に行動的で採食が旺盛である。集団性に富み温順で取り扱いやすく放牧管理に適する等、山地向きの牛といわれており、昭和29年、ニュージーランドから蒜山地域にジャージー牛が94頭導入されて以来、現在は全国の4分の1の頭数の3,400頭が飼育され、日本一の規模を誇っている。蒜山酪農農業協同組合は、昭和31年に設立され、当時、岡山県内ではホルスタイン種が定着していて、ジャージー牛を大手メーカーでは受け入れなかったため独自に牛乳処理工場を設置し、牛乳の製造・販売を開始した。その後、乳価体系において脂肪スライド率が下がったため、昭和50年代後半からヨーグルト・ゴーダチーズ等各種乳製品開発にも取り組んでいる。

　ジャージー牛乳は、牛乳の組成をなるべく損なわない独自製造により、成分平均値は乳脂肪分4.5％以上、無脂乳固形分9.0％以上とした成分無調整で、ジャージー牛乳本来のコクと風味により安定的な供給を続けている。蒜山ジャージーヨーグルトは、ジャージー本来の味をできるだけ自然なかたちで消費者に届けるため、新鮮なジャージー生乳をそのまま殺菌、発酵させている。このため表面に黄色のクリーム層ができている。脱脂粉乳等の乳製品は一切使用していないので安全・安心な製品として人気が高まっている。

（真庭市農業振興課）

ジャージー牛

● **やまぶどう製品**

　蒜山高原では秋になると標高500m〜700mの奥深い渓谷に野生のやまぶどうが実をつけ、地元では古くから、健康に良いと重宝されてきた。この

やまぶどうを原料に、新たな特産品の開発としてワインが昭和53年（1978）からスタートした。

野生のやまぶどうを岡山県農業試験場で試験醸造を行い、でき上がったワインで毎年関係者による試飲会を開き、味や品質の検討を続けた。昭和58年（1983）からは川上村（現真庭市）営やまぶどう試作圃場の果実を試験醸造した。昭和63年（1988）にひるぜんワイン有限会社が設立され、期限付醸造免許認可になり、約1.9ｔのやまぶどうを初めて仕込んだ。

現在では約30ｔの収穫がある。原材料の生産から加工・販売までを地元で行い、現在では真庭市を代表する特産品の一つとなり、数々の賞を受けるなど高い評価を得ている。ワインの他にやまぶどうを使ったジュース、ジャム、酢などの製品もある。

（真庭市観光振興課）

やまぶどうワイン

やまぶどう製品

● 岡山県観光物産センター

岡山県観光物産センター「晴れの国岡山館」は、岡山県が優れた県内の特産品と豊かな観光資源を紹介するために、平成３年９月に岡山市表町の岡山シンフォニービル１階に設置した施設であり、㈳岡山県産業貿易振興協会が、岡山県から指定管理者の指定を受けて管理運営を行っている。

岡山県観光物産センターの主な業務は、観光案内業務と特産品の展示販売業務であり、特産品は民工芸品や食品、雑貨など200社以上の商品が取り扱われている。特に食品は最近需要が高まっており、食品の取扱高は全体の５割を超える。

展示販売されている食品の種類は、主に菓子、酒類、水産加工品、農産加工品、畜産加工品などがある。

年に２回夏と冬には特産品ギフトカタログ「お

晴れの国岡山館

第２章　おかやまの食文化　● 73

かやま夏の味」、「おかやま冬の味」として白桃やマスカット、ピオーネ、愛宕梨、コールマンなど旬の果物を取り扱っている。また、食品を中心にインターネットでの販売も行っている。（岡山県観光物産センター）

第3章　食の安全と安心の確保

食品の生産・流通段階における安全・安心を確保するための取り組みや一般的な食品衛生管理に必要な知識、また、県内産物の消費量を上げるための取り組みを解説する。

1．県等の取り組み

(1) 岡山県食の安全・安心の確保及び食育の推進に関する条例

　岡山県では、食の安全・安心を確保するとともに食育を推進するため、平成18年12月「岡山県食の安全・安心の確保及び食育の推進に関する条例」（全25条で構成）を制定した。
　これまで県では、ＢＳＥや輸入野菜の残留農薬、食品の偽装表示の問題など食の安全や安心を揺るがす出来事が全国的に相次いだことから、知事を本部長とする「岡山県食の安全・食育推進本部」のもと食の安全基本方針を策定し、生産から消費に至る食の安全・安心の確保に積極的に取り組んできた。
　一方、国では、栄養の偏りや不規則な食事、肥満や生活習慣病の増加、伝統的な食文化の喪失等の問題から、生涯にわたって健全な心身を培い、豊かな人間性をはぐくむ食育を推進するため、食育基本法が制定され、平成17年7月に施行された。
　県民が安心できる食生活を営むためには、食の安全・安心の確保と食育の推進に一体的に取り組むとともに、生産から消費に至るすべての関係者が食の重要性を認識し、県・事業者及び県民が、それぞれの立場で食の安全・安心の確保と食育の推進に努める必要がある。
　このため県では、食の安全・安心の確保及び食育の推進について、基本理念を定め、県、食品関連事業者等の責務や県民の役割を明らかにするとともに、県の施策の基本的な事項等を定めることにより、食の安全・安心の確保及び食育の推進に関する施策を総合的かつ計画的に展開することで、県民の健康で豊かな生活の実現に寄与する必要があると考え、条例を制定した。

【条例の主な内容】
○食の安全・安心の確保
　第4条　県の責務

食の安全・安心の確保及び食育の推進に関する施策を総合的かつ計画的に策定し、及び実施する。

第5条　食品関連事業者の責務
食の安全・安心の確保について第一義的責任を有していることを認識し、安全で安心な食を提供するために必要な措置を講じる。

第8条　県民の役割
食の安全・安心の確保及び食育の推進に関する理解を深め、食に関する適切な判断力を養い、健全な食生活の実現に自ら努めるとともに、県が実施する施策に意見を表明するように努めることにより、食の安全・安心の確保及び食育の推進に積極的な役割を果たす。

第10条　食の安全・安心推進計画
知事は、食の安全・安心の確保に関する施策の総合的かつ計画的な推進を図るため、岡山県食の安全・安心推進計画を策定する。

第18条　自主回収の報告等
食品関連事業者は、人の健康に悪影響を及ぼす理由から食品等を自主回収する場合、迅速な対応と健康被害の拡大防止の観点からその旨を知事へ報告しなければならない。

第19条　健康危害情報の申出等
知事は、県民からの申出で、健康危害を及ぼし又はそのおそれがある時は、必要に応じ関係機関と連携し調査を行い、必要があると認めるときは、適切な措置を講じる。

第20条　健康危害情報の公表
知事は、食品等による人への健康危害情報について、重大な影響を及ぼす場合等必要な場合は、公表しなければならない。

〇食育の推進

第21条　食育推進計画
知事は、食育の推進に関する施策の総合的かつ計画的な推進を図るため、岡山県食育推進計画を策定する。

第25条　食文化の継承
県は県民が地域の伝統ある食文化への理解を深め、これを継承していく活動の促進を図る。

(2) 岡山県食品衛生監視指導計画

　岡山県食品衛生監視指導計画は、食品衛生法に基づき、飲食に起因する衛生上の危害の発生を防止し、岡山県の特徴を踏まえた効果的かつ効率的な監視指導を行うために計画されるものである。この計画は、実施前に公表され、結果についても取りまとめ公表されている。

【平成19年度岡山県食品衛生監視指導計画の重点取組事項】
① 腸管出血性大腸菌、ノロウイルスによる食中毒の発生を防止するための対策を実施する。
② 食の安全確保を図るため、監視と連動させた効果的な検査を実施するとともに、引き続き、残留農薬、遺伝子組換え食品、アレルギー物質の検査を効果的に実施する。
③ 広域流通食品等事業者に対して、適正な衛生管理、記録の作成・保存、適正な表示の実施等を徹底するように指導を強化する。
④ 民間組織との協働により、食の安全に係るリスクコミュニケーションを推進していく。
⑤ 各種媒体等を活用し、消費者、食品事業者等に対して食の安全に係る情報の積極的提供に努める。

【監視指導実績】

項　目	H18年度	H17年度	H16年度
監視指導対象施設	27,056	27,728	29,219
監視目標件数	24,016	24,649	26,102
監視指導結果	27,824	29,690	26,761
目標達成率	116%	120%	102%
収去検査目標検体数	3,400	2,940	3,460
検査実施検体数	3,845	3,702	4,010
違反件数	3	6	3

岡山県監視指導計画URL
　　　　http://www.pref.okayama.jp/soshiki/detail.html?lif_id=3088

(3) 保健所等の役割

● 営業許可

　食品関係の営業を行う場合、食品衛生法に基づく営業の許可が必要な場合がある。食品衛生法では飲食店営業等公衆衛生上影響の著しい営業について、都道府県が必要な基準を設けることとされており、基準の定められた業種については営業許可が必要になる。岡山県では34業種について営業許可が必要である。許可を取得するための基準は業種によって様々である。

　営業許可は、営業をしようとする者の申請に基づき、食品衛生監視員が施設の検査を行い、基準が満たされていれば保健所長名の許可書が交付される。

　営業許可は5〜6年で更新しなければならず、定期的に基準が満たされているかどうか食品衛生監視員によって確認が行われている。

店内に掲示された営業許可書

【営業許可の必要な業種】

1	飲食店営業	18	豆腐製造業
2	喫茶店営業	19	納豆製造業
3	菓子製造業	20	めん類製造業
4	あん類製造業	21	そうざい製造業
5	アイスクリーム製造業	22	缶詰又は瓶詰め製造業
6	乳製品製造業	23	添加物製造業
7	食肉製品製造業	24	乳処理業
8	魚肉ねり製品製造業	25	特別牛乳搾取処理業
9	清涼飲料水製造業	26	集乳業
10	乳酸菌飲料製造業	27	食肉処理業
11	氷雪製造業	28	食品の冷凍又は冷蔵業
12	食用油脂製造業	29	食品の放射線照射業
13	マーガリン又はショートニング製造業	30	乳類販売業
14	みそ製造業	31	食肉販売業
15	醤油製造業	32	魚介類販売業
16	ソース類製造業	33	魚介類せり売営業
17	酒類製造業	34	氷雪販売業

監視指導

　保健所には「食品衛生監視員」という専門の職員が配置され、毎年策定される「食品衛生監視指導計画」に基づき、飲食店や食品工場、販売店など食品を取り扱う施設に立ち入り、監視指導を行っている。

　監視指導では、主に食品の衛生的な取り扱いについて点検を行い、不適切な事項があれば指導を行う。例えば、食品衛生法に定められている「規格基準(※1)」や、「表示基準」、岡山県条例に定められている「施設基準」や「管理運営基準」について監視を行う。

　また、大規模な食中毒など飲食に起因する事故を防ぐため、量販店や大型食品工場、集団給食施設などに対して重点的な監視指導（重点監視）を行っている。特に大量に食品を製造する施設では、「大量調理施設衛生管理マニュアル(※2)」にしたがった監視指導を行っている。

監視の風景

　これらの重点監視は、岡山県では県民局単位に設置された「食品衛生監視機動班」という専門的な監視を行う職員により行われている。

　その他、季節に応じて短期間に集中的に監視を行う「一斉取締り」（夏期、冬期、ふぐ、大量調理施設等）を行っている。

※1　規格基準
　　　食品衛生法第11条で定められている食品や添加物の成分、製造、加工、使用、調理、保存に関する基準
※2　大量調理施設衛生管理マニュアル
　　　厚生労働省が示した、食品を大量に調理する施設が遵守すべきガイドライン

収去検査

　食品衛生監視員が、店頭に並んでいる食品を保健所へ持ち帰り、検査を行うことである。これを食品衛生法では「収去」と呼んでいる。収去の目的は、主に食品等が食品衛生法第11条に規定されている規格基準を満たしているかどうかを点検することである。

　この基準が守られていない食品が販売された場合は、食品衛生法違反となる。

ただし、すべての食品や添加物に基準が定められているわけではなく、食品衛生上、最低限の衛生基準が必要な食品について定められている。弁当やそうざいについては、「衛生規範」というガイドラインが定められている。

収去検査で食品衛生法違反が判明した場合は、速やかに市場から当該製品が撤去されるよう「行政指導」や「行政処分」が行われる。また、最近は、食品会社が自主検査結果等に基づき「自主回収」する事例も多数見受けられる。

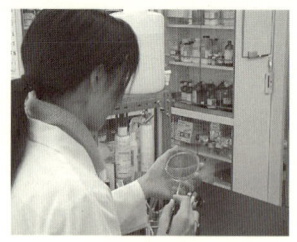

検査の風景

(4) と畜検査・食鳥検査について

食肉の安全を守るため食肉衛生検査所では、「と畜場法」に基づき、牛・馬・豚・緬羊・山羊がと畜場に搬入・とさつ・放血・剥皮(はく)・解体されて枝肉になるまでの各段階で、生体の健康チェック、内臓や筋肉の病気の有無などを1頭ずつ厳格に検査している。

と畜検査で異常が認められた場合、とさつ禁止、解体禁止、精密検査を経て、食用に適さないと判断された場合は、「全部廃棄」などの行政処分がなされる。これらの検査は、獣医師の資格をもった「と畜検査員」が行っている。

精密検査は、「BSE検査」、「微生物学的検査」、「病理学的検査」、「理化学的検査」に分けられ、各種の検査機器を用いた検査が行われている。

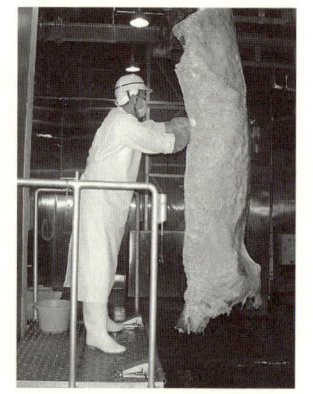

また、鳥肉については、「食鳥処理の事業の規制及び食鳥検査に関する法律」に基づき、鶏・あひる・七面鳥について、獣医師の資格をもった「食鳥検査員」による検査が行われている。

(5) 食品のモニタリング検査

法律に基づいた食品検査の他に、国や各地方自治体が年間計画を立てて定期的に食品を採取し検査を行うことがある。これを「モニタリング検査」いう。

本来「モニタリング」とは、変化を見逃さないように継続して監視することを言い、岡山県では、野菜や畜水産物に含まれる重金属や環境ホルモンなどの

環境汚染物質の検査などを実施しており、その結果は、ホームページ等で公表している。

食品のモニタリング検査は、行政が現在流通している食品の情報を得ることにより、今後の食品の監視指導に反映させるための重要な検査という位置づけであり、常時、検査項目について検討し、県民に対して、その結果の情報提供が行われている。

(6) 食品衛生責任者制度

食品営業施設の営業者は、各施設や部門ごとに食品衛生に関する責任者を定めなければならない。岡山県では、食品衛生法施行条例に基づいて、「食品衛生責任者」の設置が義務づけられている。

また、ハムやソーセージ、食用油脂などを製造する営業については、「食品衛生管理者」の設置が義務づけられている。

この制度は、製造・加工・調理・販売等の各過程における衛生管理を、食品衛生責任者を中心として自主管理体制の確立を図ることを目的としている。今日では、食品の製造・加工技術の進展がめざましく、様々な形態の食品が流通しており、また食品の流通形態が複雑かつ広域化してきたことに伴って、幅広い食品衛生知識が要求されている。よって、食品衛生責任者は、食品衛生についての知識を深め、常に新しい知見の習得に努めなければならない。また、施設内における食品の取り扱いが衛生的に行われるよう、従事者の衛生教育にも努めなければならない。

食品衛生責任者になるためには、岡山県等が定期的に開催している養成講習会を受講する。この講習会では、「衛生法規」、「食品衛生学」、「公衆衛生学」など食品衛生に関する内容の講習を受ける。

講習受講者には、修了証とプレートが交付され、このプレートは、営業施設の見やすい場所に掲示しなければならないので、飲食店等に行ったときは、掲示してあるか探してみてはどうだろう。

食品衛生責任者修了証

(7) 農薬の適正使用について

● 農薬の登録制度

　農薬については「農薬取締法」の中で厳格な「登録」制度が設けられている。毎年、新たな薬剤が開発されているが、病害虫に対する「薬効」、作物への「薬害」だけでなく、人体への「毒性」や作物・土壌中における「残留」に関する様々な試験を経て、安全性が確認されたものだけが、農薬として登録される。
　よって、農家が登録された農薬を適正に使用して生産した農産物は、人が一生涯食べ続けても健康に何ら影響がなく、安心して食べることができる。

● 農薬の適正使用へ向けた県の取り組み

　農薬取締法及び政令において、県は農薬の「販売者」及び「使用者」に対し、適正な販売や使用がなされているか「報告」を求めたり「立入検査」を行うことができるよう定められている。
　そこで、岡山県では毎年200店以上の販売店に対し「立入検査」を行っている。また農薬の販売や使用において、指導的な立場にある人を「農薬管理指導員」として認定し、農薬の適正使用を徹底している。
　最近では有機無農薬栽培等、農薬を削減し、あるいは一切使用しない栽培方法も一部で行われているが、こうした農産物を多量に市場流通させることは極めて困難である。消費者のニーズに応えるだけの多くの農産物を生産し、安定的かつ継続的に供給するには、農薬は欠かせない存在なのである。
　そこで、非常に厳しい登録制度を設け、また適正使用に向けた取り組みを徹底することにより、消費者が米、野菜、果物等を毎日安心して食べることができるような仕組みが確保されている。

(8) おかやま有機無農薬農産物の生産振興

　岡山県では、全国に先駆けて有機無農薬農業に取り組み、平成13年からは「有機JAS規格（有機農産物の日本農林規格）」を基本に、農薬・化学肥料を一切使わない「おかやま有機無農薬農産物」を独自に認定している。
　「おかやま有機無農薬農産物」の認定を受けるには、生産者は2年以上前から農薬や化学肥料を使わないで、田畑の土づくりを行わなければならない。その作業記録や各種の伝票などにより、多くの書類を作成し、有機JASの登録

認定機関へ提出し、厳正な書類・現地検査を合格したものだけが認定される。

認定を受けた後も、生産者は日々の栽培・出荷の記録を提出することが義務づけられ、登録認定機関による現地検査も毎年受けなければならない。不正行為に対する罰則もあるなど、厳格なシステムで安全・安心な農産物が育てられている。

こうして生産者が苦労して育てた「おかやま有機無農薬農産物」は、消費者の健康志向・本物志向に応えるかたちで、産地は県下各地に着実に広がり、平成18年度には33の生産集団が栽培面積88haで1,453tを生産している。

消費者の中にはリピーターも多く、岡山県が指定しているおかやま有機無農薬農産物の取扱店も県内外に広がり、好評を得ている。

岡山県では、これからもさらに生産を拡大させるとともにおかやま有機無農薬農産物の優秀性をＰＲしていく方針だ。認定集団等の生産基盤の整備、入門研修の実施等により新規生産者を増やすとともに、有機無農薬農産物フェアを開催するなど、一層の生産振興や販売促進に取り組み、平成23年には生産量1,600tの目標達成を目指している。

認定マーク

認定ほ場

(9) 水産物の取り組み

● カキのノロウイルス検査

県下のカキ養殖漁場では、カキの生産期である10月～翌年の３月までの間、定期的に県や生産団体が、食中毒の原因となるノロウイルスの検査を実施して、製品の安全性の確保に努めている。

ノロウイルス陽性が検出された漁場では、生食用カキの出荷を停止するなど、食中毒事故の発生を未然に防止している。

● 貝毒検査

　県では、アサリ、マガキなどの二枚貝の貝毒検査や、貝毒プランクトンの出現状況を定期的に調査し、食中毒被害の防止に努めている。この検査により、出荷規制基準を超えた場合は、出荷を停止する措置を行っている。

● 養殖水産物の残留医薬品調査

　水産用医薬品の適正使用を養殖業者に指導するとともに、養殖水産物の残留医薬品の検査を実施して、安全性の確保に努めている。

⑽　トレーサビリティシステムの導入

　ＢＳＥや輸入野菜の残留農薬、産地の不正表示等、「食」に関する様々な事件を契機に、安全・安心を求める消費者の声を反映して「トレーサビリティ」の必要性が叫ばれるようになった。

　トレーサビリティとは、「生産、処理・加工、流通・販売等のフードチェーンの段階で食品とともに食品に関する情報を追跡し、遡及できること」と定義されている。具体的には、食品の生産、処理・加工、流通・販売等の各段階で、その仕入先、販売先などのデータを識別番号等を用いて記録することによって、その流通経路及び所在等の情報の把握を可能とする仕組みをいう。

● 岡山カキ

　養殖水産物の鮮度と安全性に対する信頼感を高め、消費者に対して安全・安心な水産物を提供するため、邑久町漁協、岡山県漁連が岡山カキのトレーサビリティシステムを平成16年から導入している。

　漁協等のホームページでは、生産者名、漁場名、加工日、消費期限、衛生検査結果などの生産情報を公開している。

```
邑久町漁協アドレス：http://www.jfoku.or.jp/trace.cgi
岡山県漁連アドレス：http://www.jf-net.ne.jp/oygyoren/oyster/trace.html
（岡山カキとれたて情報！）
```

● 果実、野菜、穀類

　岡山県ではＪＡグループと連携し、現在では、ももやマスカットなどの果実、トマトやきゅうりなどの野菜、米、黒大豆等11品目の農産物について、ホームページを通して消費者に情報提供を行っている。

> ＪＡ全農おかやまアドレス：http://home.oy.zennoh.or.jp/

● 牛肉

　平成13年9月に国内で初めて牛海綿状脳症（以下、ＢＳＥ）が発生したことに伴い、消費者が安心して牛肉を購入できるよう、その牛の10桁の個体識別番号を生産から流通販売まで伝達することにより、店頭で購入する牛肉からその牛の生産までの履歴がさかのぼって確認できる措置「牛の個体識別のための情報の管理及び伝達に関する特別措置法」（以下、牛トレーサビリティ法）が講じられている。
　これを受け、岡山県では牛肉の安全・安心について県民の理解を得られるよう平成14年10月から県独自の牛肉トレーサビリティシステムを導入しており、県のホームページ「牛の里おかやまモーモーランド」を開設している。

> 【システムの概要】
> 　個体識別番号をもとにパソコンで検索し、個体情報（生年月日・品種・性別・と畜年月日）、農家情報（飼養者及び農場写真、飼養情報、給与飼料）、牛に関する地域などの情報が入手できる。
> （平成19年5月31日現在）
> システム検索実績：　　25,550人
> 参加農場戸数：　　　　142戸
> 個体情報頭数：　　　　23,674頭
>
> 牛の里おかやまモーモーランドアドレス：http://www.meat.pref.okayama.jp/

● 牛乳

　複数の酪農家で生産される乳を混合して原料とする牛乳・乳製品では、消費段階から生産段階まで遡及するトレーサビリティシステムの導入が難しいとされているが、蒜山酪農農業協同組合では、平成17年度から全国的にも珍しい牛乳・乳製品（ヨーグルト、チーズ）のトレーサビリティシステムを導入している。

【システムの概要】
　ホームページで製品の賞味期限をもとに検索し、農家情報（飼養者及び農場写真、飼養情報、給与飼料）などの情報が入手できる。

蒜山酪農農業協同組合ホームページアドレス：http://www.hiruraku.com/

(11) BSE対策の推進

　BSE（牛海綿状脳症）は、動物なら必ず持っている「プリオン」というタンパク質が異常な形になることで、牛の脳や神経がスポンジ状になり、けいれんや麻痺といった神経症状を起こして死亡する病気である。

　この病気は1985年頃からイギリスで見られるようになり、「スクレイピー」という病気にかかったヤギやヒツジの死体を加工した「肉骨粉」を、牛に餌として食べさせたために感染したといわれている。

　さらにBSEに感染して死んだ牛の死体を肉骨粉に加工して牛の餌として与えたことで、BSEの感染が拡大したとされている。

　日本国内では、平成13年10月に、国内で初めてのBSEが確認されたため、その対策として、同年10月18日に食用になる全ての牛を検査する、いわゆる「全頭検査」が始まった。

　これは、食肉の検査を行う食肉衛生検査所の検査員（獣医師）が、と畜場でと殺された牛の脳を「ELISA法（エライザ）」という方法で検査し、この方法で異常なプリオンが検出されれば、さらに国が指定した検査機関において免疫組織化学検査と「ウェスタンブロット法」という精密検査を行い、最終的に陽性となれば、その牛の肉などは全て焼却処分されるため、外部には絶

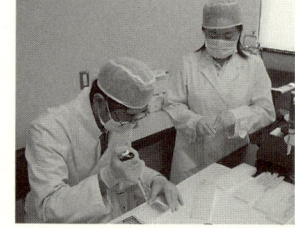

対に流通しない。

　その他の対策として、と畜場では、異常プリオンが多く蓄積する脳・脊髄・眼球・回腸遠位部（かいちょうえんいぶ）などの「特定危険部位（とくていきけんぶい）」は、全ての牛から取り除いて焼却処分をする。また、この病気が蔓延した原因といわれている肉骨粉の入った餌は製造、流通、販売の全てが禁止になった。

　これらの対策により、平成13年以後に生まれた牛からのBSE感染牛はほとんど見つかっていない。

⑿　輸入食品の検疫体制

　私たち日本国民は、供給熱量で約6割を輸入食品に頼って生活をしており、もはや、食品の輸入なくして現在の私たちの食生活は成り立たない。これら輸入食品の安全を確保するため、厚生労働省は、検疫所を全国の主要な空港や港に設けて、常時、輸入食品の監視を行っている。

　海外から食品等を輸入する場合、食品衛生法により、輸入者は必ず検疫所に輸入の届け出を行わなければならない。

　届け出を受けた検疫所では、日本の食品衛生法に基づいた適正な食品等であるかどうかを検疫所の食品衛生監視員が審査する。審査は、届け出た書類に書かれた輸入国・輸入品目・製造者・原材料・添加物・製造方法等をもとに、食品衛生法に適合しているか、有害物質を含んでいないか、添加物は適正に使用されているか、過去に問題を起こしていないかなどを確認する。

　審査の中で、食品衛生監視員が必要と認める場合は、輸入したい食品等について行政検査を行う。これらの審査の結果、輸入したい食品が、法律に違反していれば、その食品は日本国内に輸入することができない。

2. 食品衛生

(1) 食中毒

● **食中毒の定義**

飲食物を介して体内に入った病原菌や有毒、有害な化学物質によって起こる比較的急性の胃腸炎症状を主な症状とする健康障害のことである。

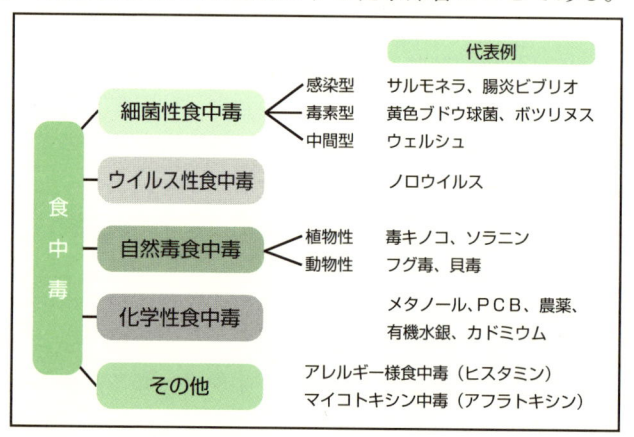

			代表例
食中毒	細菌性食中毒	感染型	サルモネラ、腸炎ビブリオ
		毒素型	黄色ブドウ球菌、ボツリヌス
		中間型	ウェルシュ
	ウイルス性食中毒		ノロウイルス
	自然毒食中毒	植物性	毒キノコ、ソラニン
		動物性	フグ毒、貝毒
	化学性食中毒		メタノール、PCB、農薬、有機水銀、カドミウム
	その他		アレルギー様食中毒（ヒスタミン） マイコトキシン中毒（アフラトキシン）

● **食中毒の種類**

細菌性食中毒
①感染型食中毒
　　食品中であらかじめ増殖した細菌が、食品とともに多量に摂取され、さらに腸管内で増殖して下痢、腹痛などの症状を起こす。
②毒素型食中毒
　　細菌が食品中で増殖する過程で毒素を生産し、その毒素が食品とともに摂取され嘔吐、下痢などの症状を起こす。
③中間型食中毒
　　食品中で増殖した多数の細菌が、食品とともに摂取され、腸管内で毒素を生産し、その毒素によって嘔吐、下痢などの症状を起こす。

ウイルス性食中毒
　食品に付着したウイルスが食品とともに摂取されることによって起きる食中

毒で、ノロウイルスやＡ型肝炎ウイルスなどがある。下痢、嘔吐などの症状を起こす。

自然毒食中毒
①植物性自然毒
　　野草や毒キノコなどの植物が持っている毒素を摂取することにより起きる食中毒。
②動物性自然毒
　　動物の体内に存在する毒成分を摂取することにより起きる食中毒。魚毒と貝毒が代表的なものである。

化学性食中毒
　水銀、鉛、ヒ素などの重金属、農薬などの化学物質により起きる食中毒。

その他
①アレルギー様食中毒
　　食品中に異常に蓄積したヒスタミンによって起きる食中毒。サンマ、イワシなどの青魚の魚肉に含まれるたんぱく質であるヒスチジンが腐敗の過程でヒスタミンとなり、じんましん症状等を引き起こす。
②マイコトキシン中毒
　　カビが生産する有害物質をマイコトキシン（カビ毒）といい、これにより起きる食中毒をマイコトキシン中毒という。輸入ピーナッツ等にアスペルギルス属のカビが発生し、アフラトキシンを生産する場合もある。

一口メモ

食い合わせ
　「ウナギと梅干し」は食い合わせが悪いと古くからいわれている。ウナギは脂肪が多く下痢をしやすいといわれ、梅干しは弱った胃腸によくないとされている。
　「天ぷらとスイカ」は、天ぷらは脂っこいので、冷やしたスイカを一緒に食べればおなかを壊すといわれていたようである。
　こういった食い合わせは、悪いとされているが、実際には科学的根拠がない場合が多く、逆に「ウナギと山椒」や「サンマと大根おろし」など、一緒に食べると互いの味を引き立てたり消化を助ける組み合わせもある。

岡山県における食中毒発生状況

食中毒の発生件数と患者数

　過去5年間の食中毒発生総数は68件であり、毎年10件〜16件程度発生している。総患者数は2,221人で、年により変動が大きいが、平成18年度はノロウイルスによる食中毒が多発したことから患者数が増加した。

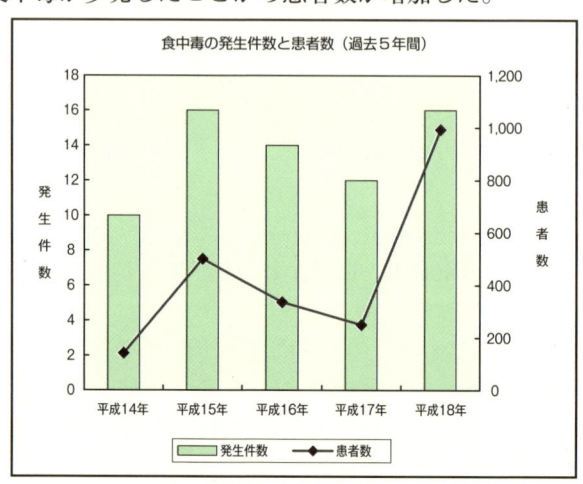

月別の発生状況

　過去5年間では、高温多湿により細菌性食中毒が起こりやすくなる7月〜8月にかけてと、ノロウイルスによる食中毒が多発した10月〜12月にかけて発生件数が多い。これまでは食中毒は夏に多発するというイメージであったが、ノロウイルスによる食中毒の出現により年間を通じて発生するものとなった。

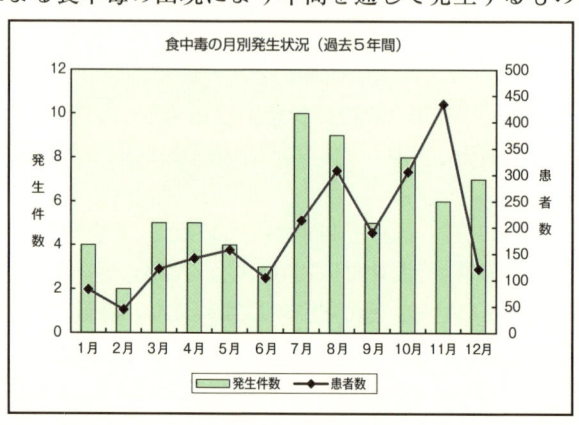

原因施設別発生状況

　過去5年間では「営業者」が一番多く、全体の69％を占めており、次いで「家庭調理」21％、「集団給食施設」6％の順となっている。

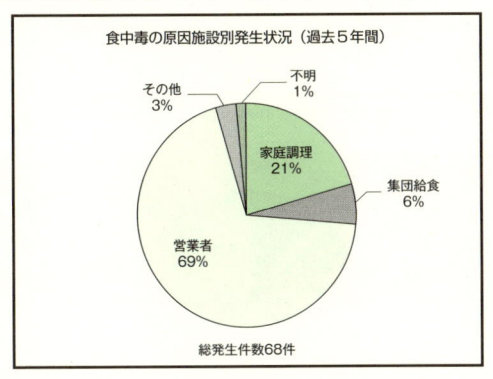

食中毒の原因施設別発生状況（過去5年間）

- 不明 1%
- その他 3%
- 家庭調理 21%
- 集団給食 6%
- 営業者 69%

総発生件数68件

原因食品別発生状況

　過去5年間では「その他」が一番多く、全体の58％を占めている。「その他」とは、複数の料理から構成されている「仕出し料理」や「宴会料理」を原因食品とする食中毒であって、限られた料理まで特定できない場合をいう。

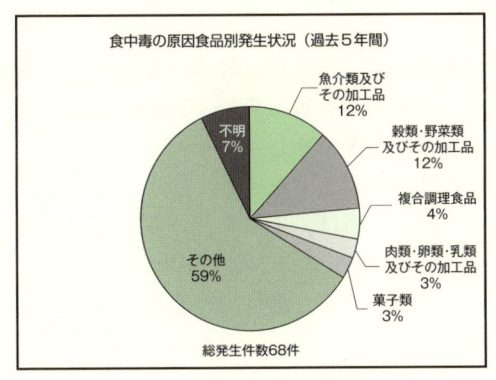

食中毒の原因食品別発生状況（過去5年間）

- 不明 7%
- 魚介類及びその加工品 12%
- 穀類・野菜類及びその加工品 12%
- 複合調理食品 4%
- 肉類・卵類・乳類及びその加工品 3%
- 菓子類 3%
- その他 59%

総発生件数68件

第3章　食の安全と安心の確保　91

病因物質別発生状況

　過去5年間では「ノロウイルス」が一番多く、全体の27%を占めており、次いで「サルモネラ属菌」15%、「動物性自然毒」12%、「腸炎ビブリオ」「カンピロバクター」10%の順となっている。近年、ノロウイルスによる食中毒が増加している。

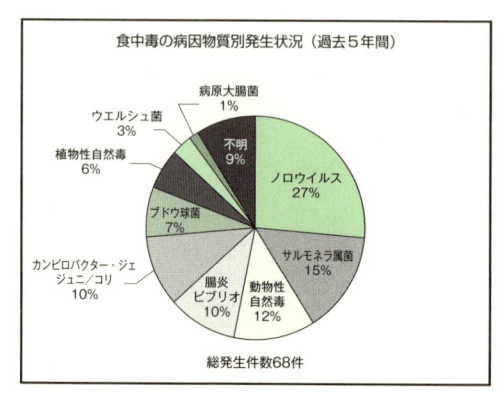

食中毒の病因物質別発生状況（過去5年間）

- 病原大腸菌 1%
- ウエルシュ菌 3%
- 植物性自然毒 6%
- ブドウ球菌 7%
- カンピロバクター・ジェジュニ/コリ 10%
- 腸炎ビブリオ 10%
- 動物性自然毒 12%
- サルモネラ属菌 15%
- ノロウイルス 27%
- 不明 9%

総発生件数68件

● 細菌性食中毒予防の3原則

①菌をつけない
- 目に見えない食中毒菌は、魚や肉、野菜などの食材に付いていることがあり、この食材から手や調理器具を介して他の食品を汚染することがあるので、食材に触れる時は手洗いをしっかり行う。
- 魚介類や野菜などは流水でよく洗う。
- 手指に傷や手荒れがある時は、手袋を使い直接食品に触れない。
（おにぎりを作る場合は、ラップなどを使用する。）
- 肉や魚を切ったまな板や包丁などの調理器具は、洗浄後消毒する。
- 肉や魚を冷蔵庫で保存する場合は、肉や魚のドリップ（汁）が他の食材を汚染しないようビニール袋や容器に入れる。

②菌を増やさない
- 温かいものは温かいうちに、冷たいものは冷たいうちに早めに食べる。
- 冷蔵庫の温度は10℃以下、冷凍庫の温度は－15℃以下にする。
- 冷蔵庫内にものを詰めすぎないようにする。(7割程度)

手洗い

- 食材は先入れ、先出しする。
- 解凍する場合は、電子レンジを使用するか、冷蔵庫内で行う。

③菌をやっつける
- 食品を調理する時は、中心部までしっかり加熱する。（75℃で1分以上）
- 調理済み食品を再加熱する時は、電子レンジ等を使用し、中心部まで加熱する。

● 細菌の増える条件

　細菌が増殖するには、①栄養分②水分③温度④時間の4つの条件が必要である。

　細菌の増殖温度は種類により異なるが、38℃付近が最も活発に増殖する温度帯である。

　細菌の増殖速度も種類により異なり、食中毒菌の1回の分裂に必要な時間は次のとおりである。

細　菌　名	1回の分裂に要する時間
ウェルシュ菌	7分
腸炎ビブリオ	8分
病原大腸菌	17分
サルモネラ菌	21分
黄色ブドウ球菌	27分
ボツリヌス菌	35分

1個の食中毒菌が10分に1回分裂すると…

10分	2個
20分	4個
30分	8個
1時間	64個
3時間	262,144個　（約26万個）
5時間	1,073,741,824個　（約10億個）

第3章　食の安全と安心の確保

● 食中毒菌

①腸炎ビブリオ

分布	海水中に生息する細菌で、特に夏季の沿岸海水や海泥中に広く分布している。海水温度が低い冬季は海泥中で越冬しており、海水温が上昇する夏季に海水中で増殖する
特徴	・他の細菌に比べ増殖速度が極めて速く、短時間のうちに発症菌量（10^5〜10^6個以上）に達する ・塩水濃度が2〜7％で増殖が盛んになる ・真水や加熱に対する抵抗性が弱い
潜伏期間	4〜28時間（通常10〜18時間）
主な症状	激しい腹痛、下痢、発熱、嘔吐
原因食品	主に生鮮魚介類及びその加工品、刺身、すし
予防方法	・魚介類は、調理前に真水でよく洗うこと ・魚介類の調理器具は専用のものとし、使用後は十分に洗浄、消毒して二次汚染を防ぐこと ・冷蔵保存（4℃以下）を徹底すること ・買い物後は低温に保ち、早めに帰宅し冷蔵庫へ入れること ・刺身などは早めに食べること

②サルモネラ属菌

分布	ほ乳類、鳥類、は虫類、両生類などの腸管内や、河川水など広く一般環境に生息する
特徴	・熱に対して比較的弱い ・乾燥に対して抵抗力が強い
潜伏期間	6〜72時間（通常12〜24時間）
主な症状	腹痛、下痢、発熱（38〜40℃）
原因食品	・食肉や卵などの畜産食品及びその加工品(生卵、自家製マヨネーズ、ババロア、レバ刺し、牛肉タタキなど)
予防方法	・鶏卵は新鮮なものを購入し、冷蔵庫で保存すること ・ひび割れている卵は食べないこと ・卵を割ったまま保存しないこと ・食肉、卵などを扱った器具、手指は、その都度洗浄すること ・生肉は生食を避け、加熱すること ・ネズミ、衛生害虫を駆除すること ・イヌ、ネコ、カメなどのペットに触れた後は、手をよく洗うこと ・ペットを調理場内に入れないこと

③黄色ブドウ球菌

分布	・ヒトの化膿巣や健康者の咽頭、鼻、頭髪、腸管内などに存在する毒素型食中毒菌である
特徴	・食品中で増殖する際に食中毒の原因となる毒素（エンテロトキシン）を産生する ・菌は熱に対して弱いが、エンテロトキシンは100℃30分の加熱でも分解しない ・5℃以下では、ほとんど増殖しない
潜伏期間	1〜6時間（通常3時間）
主な症状	悪心、嘔気、激しい嘔吐、腹痛、下痢
原因食品	・調理に手指が関係する「おにぎり」「生菓子」「和菓子」「仕出し弁当」など
予防方法	・調理の前にはよく手を洗うこと ・手に傷がある場合は、直接食品に触れたり、調理をしないこと ・調理や配膳をする時は、清潔な衣服、帽子、マスク、手袋などを着用すること ・食品の低温保存を励行すること

④病原大腸菌

分布	大腸菌は、ヒトや動物の腸管内に常在しており大部分のものはヒトに対し病原性を示さないが、一部の大腸菌の中に病原性を示すものがある
特徴	人に病原性を示すものには次の4型がある ①腸管病原性大腸菌 ②細胞侵入性大腸菌 ③毒素原性大腸菌 ④腸管出血性大腸菌（ベロ毒素を生産する）
潜伏期間	6〜72時間（通常12時間）
主な症状	腹痛、下痢、血便
原因食品	ふん便等に二次汚染された食品、飲料水、生肉（レバ刺し、ユッケなど）、サラダ
予防方法	・調理器具の洗浄、消毒を十分に行う ・食品の加熱を十分に行う ・焼き肉をする時は、生肉を取り扱う箸と食べる箸を分ける ・水道水以外の水を使用する場合は必ず滅菌すること

⑤カンピロバクター

分布	牛や鶏などの家畜や家禽、イヌ、ネコなどのペット等動物の腸管内に生息している
特徴	・少量の菌量でも発症する。（約100個以上） ・微好気（少量の酸素がある状態）という特殊な条件で増殖する ・熱や乾燥に弱い
潜伏期間	2～7日（通常35時間）
主な症状	発熱（38～39℃）、倦怠感、腹痛、下痢、血便
原因食品	食肉及び食肉製品　レバ刺し、鶏肉のタタキ
予防方法	・生肉は早めに調理し十分加熱する ・生肉と調理済食品は別々に保管する ・調理器具は使用後、洗浄・消毒し、よく乾燥させる ・ペットに触れたあとはよく手を洗う

⑥ウェルシュ菌

分布	人や動物のふん便や土壌に広く分布しており、食品とともに摂取し腸管内で増殖する際に毒素を産生する中間型食中毒菌である
特徴	・耐熱性の細菌で、芽胞を形成する。芽胞は100℃4時間の加熱でも死滅しない ・嫌気性菌（空気のないところで発育できる）で最適温度は43～47℃
潜伏期間	6～18時間（通常12時間）
主な症状	下痢、腹痛
原因食品	カレー、シチューなど大きな鍋で大量に調理する料理
予防方法	・前日調理や室温放置を避け、調理品はなるべく早めに食べること ・調理品を保存する場合は、小分けをするなど工夫して急速な冷却と冷蔵保存すること

⑦ボツリヌス菌

分布	海、湖、川などの泥砂などに広く分布している。細菌性食中毒の中で最も症状が重く、死亡率が高い毒素型食中毒菌である
特徴	・嫌気性菌で毒素を産生する ・耐熱性の芽胞を形成し、100℃6時間の加熱をしなければ死滅しない
潜伏期間	12～36時間（短い場合は5時間）
主な症状	嘔吐、下痢、神経症状
予防方法	・新鮮な原材料を選択すること ・原材料となる野菜などは十分に水洗すること ・缶詰やレトルト食品で膨張しているものは食べない

● ノロウイルス

特徴等

分布	二枚貝の中腸線やウイルスを保有している人の腸管内に生息する
特徴	・大きさは38nm（ナノメータ）程度で非常に小さい ・球形で表面に構造物質がある ・自己増殖機能がなく、人の小腸上皮細胞でのみ増殖が可能 ・非常に少量（100個以下）の摂取でも発症する ・食品から人だけでなく、人から人へ感染する
潜伏期間	24～47時間
主な症状	嘔気、嘔吐、下痢、腹痛、発熱
原因食品	患者の便や吐物に汚染された食品、二枚貝

ノロウイルスの抵抗性

①70％アルコールにも強い。アルコールでは消毒効果が得られにくい。
②酸に強い。pH3の溶液に3時間浸しても失活しない。
③塩素に強い。3～6ppmの濃度では失活しない。
④熱に強い。85℃で1分以上の加熱が必要。

ノロウイルスによる食中毒の予防方法

①調理前やトイレの後は、温水でしっかり手を洗う。
②食品は十分に加熱する。（85℃で1分以上）
③調理器具などの殺菌は熱湯で85℃1分以上の加熱を行うか、次亜塩素酸ナトリウム（濃度200ppm）による殺菌を行うこと。

自然毒食中毒

植物性自然毒

①毒キノコ

現在、日本で知られているキノコは約2,000種類で、このうち毒キノコは、30〜60種類といわれている。主な毒キノコには、「カキシメジ」「クサウラベニタケ」「ツキヨタケ」「イッポンシメジ」「テングタケ」などがある。

毒キノコによる食中毒は、そのほとんどが個人の知識不足などにより生じている。食中毒症状はキノコの種類により異なるが、喫食後30分〜3時間程度で、嘔吐、下痢、腹痛、神経症状などが現れる。「茎が縦に裂けるものは食べられる」「塩漬けにすると毒が消える」「虫に食われていれば安心」などは、いずれも迷信である。キノコの鑑別は素人では困難なので、専門家に任せること。

②毒草

自然食ブームの中で山菜の人気が高いが、不注意などで有毒な植物を食べて中毒になるケースがある。

有毒植物	まちがえやすい山菜
トリカブト	ニリンソウ、ゲンノショウコ
ドクゼリ	セリ
チョウセンアサガオ	ゴボウ
バイケイソウ	オオバギボウシ

③ジャガイモの芽

発芽部や緑色の部分に「ソラニン」という有毒物質が含まれている。調理の時は、包丁で十分に取り除いてから用いること。

動物性自然毒

①フグ毒

動物性自然毒の中で最も多く発生する食中毒である。死亡率が高く、食中毒による死者数の半数近くはフグ毒によるものである。

フグは、テトロドトキシンという毒素を含んでおり、これが体内に入ることにより発症する。テトロドトキシンは猛毒でその強さは青酸カリの1000倍以上である。

喫食後、20分〜3時間で発症し、嘔吐、知覚麻痺、言語障害、呼吸困難等を起こす。

②貝毒

　アサリやホタテ貝などの二枚貝は、海水中の懸濁物をこし集めて餌を摂取するが、時に海水中に有毒プランクトンが発生した場合、毒素が貝の中腸線（ちょうせん）に蓄積し、これを食べた人が食中毒症状を起こすものである。「麻痺性貝毒」と「下痢性貝毒」がある。麻痺性貝毒の毒力はフグ毒に匹敵するぐらいの強さであり、下痢性貝毒の毒力はフグ毒の16分の1ぐらいの強さといわれている。

(2) 衛生管理

● 工場等における衛生管理

　食品工場では、多様な原材料の納入から、複数の製造ラインを経て、製品の出荷まで複雑な作業工程となる。工場で働く従業員も複雑な作業を行い、人数も多くなることがある。

　また、食品工場では多くの場合、大量生産を行っているため、その衛生管理は社会的にも極めて重要である。食品工場が守るべき衛生管理事項はマニュアル化され、できるだけ効率的に実行、確認されるよう整備されている。

【食品工場等での衛生管理マニュアル】
①大量調理施設衛生管理マニュアル（厚生労働省）
　同一メニューを1回300食以上又は1日750食以上を提供する調理施設に適用
②学校給食衛生管理の基準（文部科学省）
　学校給食用調理施設に適用
③HACCP方式による衛生管理　　　　等

　これらのマニュアルに共通していえるのは、食品の製造工程の各段階で安全性を確認し、記録を行うということである。例えば、原材料の入荷段階で異変がないか確認し、誰がいつ確認したかについて記録をする。こういった記録を徹底して行うことによって最終製品の安全性を確保していくことができる。また、製品に異変があったときにいち早く問題点をトレース（追跡）する手段としても大変有効である。

食品工場での監視風景

● HACCP（危害分析重要管理点）(Hazard Analysis and Critical Control Points)

　HACCPシステムは、米国航空宇宙局（NASA）における宇宙食の安全確保のため開発された高度な衛生管理手法である。食品の原材料の生産から最終製品が消費されるまでのすべての段階について発生する危害を調査（分析）し、そのうち特に重要な管理を必要とする工程（重要管理点）を特定し、連続的に監視および記録することで危害を未然に防ぐ衛生管理手法である。

　従来の衛生管理は、最終製品の中から抜き取り検査をして安全性の確認をしていたが、すべての製品が安全であるという保証はなかった。しかし、このHACCPシステムでは、食品製造工程中の危害防止につながる重要管理点をリアルタイムで監視し記録することで、より多くの製品の安全を確保できる。

　これらのHACCPシステムによる衛生管理を基礎とした施設は厚生労働省の「総合衛生管理製造過程の承認制度（法第13条）」により承認を受けることができる。

　承認を受けることができる対象食品として牛乳、アイスクリーム、清涼飲料水、食肉製品、魚肉練り製品、容器包装詰加圧加熱殺菌食品（缶詰、レトルト食品）等がある。

(3) 食品添加物

● 主な種類と用途

　食べ物を作ったり、加工したり、保存するときに使う調味料、保存料、着色料などを、まとめて食品添加物と呼んでいる。食品衛生法では、「添加物とは、食品の製造の過程において又は食品の加工若しくは保存の目的で、食品に添加、混和、浸潤その他の方法によって使用する物」と定義されている。

　現在、食品衛生法のもとで使用が認められている食品添加物は、次の4種類に分類される。

指定添加物

　食品衛生法により、食品添加物の使用は「人の健康を損なうおそれのない場合として厚生労働大臣が薬事・食品衛生審議会の意見を聴いて定める場合」に限られている。これに該当するものが指定添加物で、現在366品目ある。

既存添加物
　昔から使用されており、天然の植物や動物からとれる食品添加物のうち、平成7年に指定制度を天然系の食品添加物に拡大した際、届け出により作成された「既存添加物名簿」に収載されているものである。現在451品目ある。

天然香料
　動植物を原料とする食品添加物のうち、もっぱら着香の目的で使用されるものである。

一般飲食物添加物
　通常は、食品として食べられているもので、使い方によっては食品添加物に該当するもの。(例：オレンジジュースを着色の目的で使用するなど)

【食品添加物の使用例】
① 食品の風味、外見をよくするもの
　調味料：食品にうまみを与える
　甘味料：食品に甘味を与える
② 食品の保存性をよくし、食中毒を予防するもの
　殺菌料：飲料水等の殺菌に使用
　保存料：食品の保存性向上
③ 食品を製造する時に必要なもの
　凝固剤：豆腐等を凝固
　膨張剤：ケーキ等を膨張

● **添加物の必要な理由**

　食品を作るには色々な工夫が必要である。たとえば、豆腐を作るには、液状である豆乳を固めるために、食品添加物である凝固剤を加えなければならないし、ゼリーやプリンなどの独特な食感を出すためには、ゲル化剤や安定剤が使われる。

　その他にも、食品の色は食欲を左右し、その「おいしさ」と密接な関係があるといわれており、食品をよりおいしく味わうためには、食品が適切な色であることが求められる。このために、色に関わる食品添加物（着色料、漂白剤、発色剤など）が使われる。

　また、食品は保存している間に微生物によって腐敗したり、油脂成分が変化したりして、食べられなくなることがある。このような品質への影響を防ぐ目

的で、殺菌料・保存料・酸化防止剤・防カビ剤などの食品添加物が使われ、食品を長い間おいしく、安心して食べられるようにしている。

そして、もちろん食品にうま味を与えるもの（調味料）、甘みを与えるもの（甘味料）、酸味を与えるもの（酸味料）など、食の「おいしさ」にもっとも貢献する「味」に影響を与える食品添加物もある。

このように食品添加物は様々な目的で使われており、食品をよりおいしく、より安心して、より安全に食べられるためには欠かせないものである。

● 安全性

食品添加物は食品に含まれ、毎日口にするものなので、安全なものでなくてはならない。そのため、食品衛生法で添加物の成分や使用量について厳しく規制されている。

食品添加物の安全性を評価するために、マウス・ラット等を用いて28日間反復投与毒性試験・発がん性試験等20以上の試験が行われる。すべての試験で全く影響が確認されない添加物量（無毒性量）をもとに、人がその食品添加物を一生涯毎日摂取しても影響を受けない量（１日摂取許容量：ＡＤＩ）を決定する。人と動物種の差や人の年齢・性別等の個人差を考慮して、一般的には、無毒性量の100分の１をＡＤＩとしている。

しかし、特定の食品をたくさん食べたり、同一の食品添加物を含む多種類の食品を一緒に食べたりすると、その食品添加物の１日の摂取量がＡＤＩを上回る可能性がある。そこで厚生労働省は国民栄養調査を実施し、１日に摂取する食品中に含まれる添加物の摂取量を推定し、その合計がＡＤＩを下回るように、それぞれの食品添加物に使用基準を定めている。①使用してよい食品の種類、②使用してよい量、③使用してよい目的、④食品中に残存してもよい量、⑤使用方法の限定、⑥使用している旨の表示、などが定められている。

そして、この使用基準が守られているかどうかを確認するために、各自治体において検査を行っている。一般に販売されている食品を検査し、禁止されている食品添加物を使っていないか、使用量は適切か、また正しい表示を行っているかなどを確認して、安全な食品の流通を監視している。

また、安全性を評価する技術は年々進歩していて、すでに指定されている食品添加物についても、その時点での技術水準に合わせて再評価されている。

(4) 残留農薬

● 農薬の必要な理由、効果

　農薬は、農薬取締法により「農作物（樹木及び農林産物を含む。以下「農作物等」という）を害する菌、線虫、ダニ、昆虫、ネズミその他の動植物又はウイルス（以下「病害虫」と総称する）の防除に用いられる殺菌剤、殺虫剤その他の薬剤（その薬剤を原料又は材料として使用した資材で当該防除に用いられるもののうち政令で定めるものを含む）及び農作物等の生理機能の増進又は抑制に用いられる成長促進剤、発芽抑制剤その他の薬剤」と定義されているとおり、農作物を育てる上で病害虫や雑草などを防除する薬剤として使用されるものである。
　農薬は農業生産性の向上、安定化、品質向上と省力化に大きな役割を果たしてきており、戦後わが国における食糧増産の要望に対し、農業資材として稲作をはじめとする農作物の病害虫及び雑草を防除し、安定的な農作物の収益と高品質な栽培技術の確立を可能にしてきた。
　また、除草による労働の軽減化にも農薬は大きな役割を担っている。特に、水稲作における除草時間は、昭和24年（1949）と平成9年（1997）の除草労働時間を比較すると除草剤を使用することで約28分の1以下まで減少している。
　これら直接的な効果の他に、農作物の早期栽培の実現や気象条件を考慮した栽培技術の改善など、間接的な効果も農薬は果たしてきている。

● 農薬の安全性

　農薬は、病害虫や雑草に対して安定して大きな防除効果を示すことが必須条件である一方、人に対して安全性が確保されなければならない。
　例えば、持続的効果を求める除草剤は、ある一定期間、土壌中に残留することが求められるが、残留による環境への負荷や生態系への影響があってはいけない。また、農作物に直接的な影響を及ぼしたり、収穫した農作物への過度な残留により、それを食べる消費者の健康に悪影響を及ぼしてはいけない。
　よって、農薬自体の人への安全性は農薬取締法、農産物中（食品中）の残留農薬基準値は食品衛生法で定められている。
　食品衛生法による残留農薬基準値についても、食品添加物の項目で述べられているような方法で無毒性量と一日摂取許容量（ＡＤＩ）が設定されている。最終的には、ＡＤＩを参考に残留農薬基準値を設定し、基準値を上回った農薬

を検出した農作物は市場に流通させないよう行政処分を行う。
　なお、平成18年5月29日から「ポジティブリスト制度」が始まった。これにより、個別に残留基準が設定されていない農薬にも一律基準（0.01ppm）が適用され、基準値を超えた食品の流通が原則禁止されるようになった。

● 農薬の主な種類と用途

　農林水産省では、役割に応じ、農薬の種類を次のように分類している。

種類	役割
1 殺虫剤	狭義には有害な昆虫（害虫）を防除する薬剤を指すが、ここでは広義に殺ダニ剤、植物寄生虫を対象とする殺線虫剤、貯蔵害虫防除や畑地くん蒸に用いられるくん蒸剤も含める
2 殺菌剤	有害な菌（病原細菌、病原糸状菌）を防除する薬剤で、ウイルス防除剤も含める
3 殺虫殺菌剤	殺虫剤と殺菌剤の混合製剤
4 除草剤	農作物や樹木に有害な作用をする雑草類を防除する製剤
5 農薬肥料	農薬と肥料の混合製剤
6 殺そ剤	農作物を食害するネズミ類を駆除する製剤
7 植物成長調整剤	農作物の品質などを向上させるため、植物の生理機能を増進又は抑制する製剤
8 殺虫・殺菌植物成長調整剤	殺虫剤または殺菌剤と植物成長調整剤の混合製剤
9 展着剤	農薬を水で薄めて散布するときに、薬剤が害虫の体や作物の表面によく付着するように添加する製剤
10 フェロモン剤	昆虫の雌が雄を誘引するために大気中に放出する物質（性フェロモン）等を利用し、誘引捕殺したり、交信かく乱をさせる製剤
11 その他の農薬	鳥獣忌避剤、害虫誘引剤、生石灰、炭酸カルシウム及び石灰窒素等がこの分類に含まれる

(5) 遺伝子組換え食品

● 遺伝子組換え食品とは

　遺伝子組換え食品とは、遺伝子組換え技術を利用して作られた食品のことである。遺伝子組換え技術を利用することによって、本来持っていない遺伝的性質を他の生物から組み込んで、今までにない新しい性質を付け加えることができ、害虫に強い作物や、除草剤に強い作物など、いろいろな作物を作ることができる。
　これまでも農作物は「掛け合わせ」等の手法で、遺伝子の組み合わせを変えることにより、品種改良を行ってきた。これらの手法と比べると、遺伝子組換え技術は目的とする性質を効率よく短時間に改良できるという利点がある。
　現在、日本において販売・流通している作物は、大豆、とうもろこし、ばれいしょ、なたね、綿実、てんさい、アルファルファの7作物である。これらは、飼料用、製油用、食品用など様々な用途に使われている。

● 安全性

　遺伝子組換え食品の安全性は、内閣府にある専門家により構成される食品安全委員会において評価される。主に評価する項目は、①組み込む遺伝子の安全性、②新しく生み出されたたんぱく質の安全性、③アレルギーを起こす可能性、④遺伝子組換えにより、有害な物質を創り出す可能性、⑤遺伝子組換えにより、食品中の栄養素などが大きく変わらないか、の5項目である。最新の科学的知見に基づく評価の結果、その安全性に問題ないと判断された食品について、その旨が公表されている。
　また、安全性が確認されていない遺伝子組換え食品が輸入されていないか、輸入時の届出が正しく行われているかをチェックするために、検疫所において輸入時検査も実施されている。

(6) 健康食品

● 特定保健用食品

　体の生理学的機能などに影響を与える保健機能成分を含んでおり、血圧・血中コレステロールなどを正常に保つことを助け、おなかの調子を整えるのに役

立つなどの、特定の保健の用途のために利用される食品のことを「特定保健用食品」という。

この特定保健用食品は、特定の保健機能について用途を表示して販売される食品なので、この特定保健用食品として販売するためには、科学的根拠を示し、有効性や安全性の審査及び国から個別に認可を受ける必要がある。許可を受けた食品は、下記にあるような許可マークを表示する。

この特定保健用食品は、科学的根拠に基づく健康の維持増進の表示が認められているが、医薬品と誤解されるような表現は認められていない。

例えば、「血圧を正常に保つことを助ける食品です」や「肉体疲労を感じる方に適した食品です」といった表示は認められるが、「高血圧症を改善する食品です」や「老化防止に役立つ食品です」などの表示は認められない。また、特定保健用食品のパッケージには表示しなければならない事項がいくつかある。他の食品と違う点では、許可表示内容（どういった保健機能があるか）、1日当たりの摂取目安量や摂取方法、摂取上の注意事項等を表示しなければならない。

平成17年2月の法改正では、「個別許可型」、「規格基準型」、「条件付き特定保健用食品」が新たに設けられ、現在許可を受けている食品は600品目以上ある。

どこかで見たことあるかな？

● 栄養機能食品

栄養機能食品とは、食品衛生法において「特定の栄養成分を含むものとして厚生労働大臣が定める基準に従って当該栄養成分の機能の表示をするもの」と規定されている。この食品は、身体の健全な成長、発達、健康の維持に必要な栄養成分の補給や補完を目的としたものである。高齢化や食生活の乱れなどによって、通常の食生活を行うことが難しく、1日に必要な栄養成分を摂取できない場合に利用する。

この栄養機能食品として販売するためには、1日当たりの摂取目安量に含まれるその栄養成分量が定められた上・下限値の範囲内にある必要があるほか、栄養機能表示だけでなく注意喚起表示もしなければならない。特定保健用食品と違い、国への許可申請や届け出等の事務手続きをする必要はなく、製造や販売が可能である。

　栄養機能食品として栄養成分の機能を表示できる食品は、ミネラル類5種類（亜鉛、カルシウム、鉄、銅、マグネシウム）とビタミン類12種類（ナイアシン、パントテン酸、ビオチン、ビタミンA、ビタミンB$_1$、ビタミンB$_2$、ビタミンB$_6$、ビタミンB$_{12}$、ビタミンC、ビタミンD、ビタミンE、葉酸）で、規格基準に適合したものについて表示が可能である。

例えば…

○

《栄養機能表示》
ビタミンB$_1$は炭水化物からエネルギー生産と皮膚や粘膜の健康維持を助ける栄養素です。

《注意喚起表示》
本品は、多量摂取により疾病が治癒したり、より健康が増進するものではありません。1日の摂取目安量を守ってください。

×

《表示してはいけないこと》
　規格基準が定められている栄養成分以外の成分の機能表示や特定の保健の用途に表示してはいけません。
㋐やせます　疲れ目に　など

　厚生労働大臣が審査等をしているかのような表示もいけません。
㋐厚生労働大臣認定規格基準適合　など。

(7) 食品の表示

　食品の表示は、消費者が食品を購入する際に、「誰が製造したものか」「いつまで食べられるか」などの情報を知ることができるので、食品を選ぶ目安になる。また、万一、何らかの事故が発生した場合に、製品の回収などの措置を迅速に行うことができるので、非常に重要なものである。
　食品の表示について規定している主な法律は次のとおりである。

①食品衛生法
②農林物資の規格化及び品質表示の適正化に関する法律（JAS）
③不当景品類及び不要表示防止法
④計量法
⑤薬事法
⑥家庭用品品質表示法
⑦健康増進法
⑧商標法

本テキストでは、このうち、食品衛生法に基づく表示について説明する。

● 名称

その食品の内容を適切に表現し、社会通念上、一般化したものを記載すること。

● 期限表示

①消費期限
　　衛生上の危害が発生するおそれのないと認められる期限で、おおむね5日以内の期間で品質が急速に劣化しやすい食品に用いる。「消費期限」の文字の後ろに「年月日」で記載する。

（例）弁当・調理パン・そうざい　など
　　消費期限　　2007年10月28日
　　消費期限　　07年10月28日
　　消費期限　　07.01.01

②賞味期限
　すべての品質の保持が十分に可能であると認められる期限で、品質が比較的劣化しにくい、消費期限に該当しない食品に用いる。「賞味期限」の文字の後ろに「年月日」で記載する。
　期間が3カ月を超える場合にあっては、「年月」で記載することができる。

（例）清涼飲料水、即席めん類、冷凍食品　など
　　賞味期限　2007年10月28日
　　賞味期限　　07年10月28日
　　賞味期限　平成19年10月（3カ月を超える場合）

● 保存温度

　食品の品質が保たれる期間は、保存される場所の温度や湿度等の保存状態に左右されるので、保存方法を適切に表示する。

（例）
　　要冷蔵（保存温度10℃以下）
　　要冷凍（保存温度－15℃以下）
　　4℃以下で保存

● 製造所又は加工所の所在地

　所在地の表示は、住居表示に関する法律に基づく、住居表示にしたがって住居番号まで記載する。

● 製造者又は加工者

　法人の場合は、法人名を記載する。個人の場合は、個人の氏名を記載する。

● 遺伝子組換え食品

　ばれいしょ、大豆、とうもろこし、なたね、綿実、てんさい、アルファルファの7作物と、これらを主原材料とする加工食品に義務づけられている。「遺伝子組換え作物及びそれを原材料とする食品」には、原材料名の次に括弧をつけて、「遺伝子組換え」等の表示をし、「遺伝子組換え作物とそうでない作物の分別が出来ていない、または混ざっている可能性がある食品」には、同様に「遺伝子組換え不分別」等の表示をしなければならない。

● アレルギー表示

　過去にアレルギー症状を引き起こした実績のある特定の原材料を含む食品及び添加物には、含有量にかかわらず、その原材料を含む旨を表示する。
【表示の対象となる特定原材料】

表示義務5品目	卵・乳・小麦・そば・落花生
表示推奨20品目	あわび、いか、いくら、えび、オレンジ、かに、キウイフルーツ、牛肉、くるみ、さけ、さば、大豆、鶏肉、バナナ、豚肉、まつたけ、もも、やまいも、りんご、ゼラチン

● 食品添加物

　食品の製造工程で使用した食品添加物は、原則すべて表示することが必要である。
　①品名（物質名）などによる表示のほか、消費者にとってわかりやすい簡略名、類別名で表示できる。

```
（例）
　サッカリンナトリウム→サッカリンＮａ
　Ｌ－アスコルビン酸ナトリウム→ビタミンＣ、Ｖ．Ｃ
```

②品名と用途名を併せて表示しなければならないもの。
　（例）

用　途　名	用　　途	表　示　例
甘味料	食品に甘味を与える	甘味料（サッカリンNa）
着色料	食品を着色する	着色料（赤3）
保存料	微生物の発育抑制	保存料（ソルビン酸K）
増粘剤	食品に粘り気を与える	増粘剤（グアー）
酸化防止剤	油脂などの酸化を防ぐ	酸化防止剤（ビタミンC）
発色剤	食品の色を保持する	発色剤（亜硝酸Na）
漂白剤	食品を漂白する	漂白剤（次亜硫酸Na）
防かび剤	かんきつ類のカビ防止	防かび剤（OPP）

③一括名で表示できるもの。
　　複数の組み合わせによって機能を果たすものや、個々の成分を表示する必要性が低いものは一括名で表示できる。

　　（例）
　　　調味料、酸味料、酵素、香料、pH調整剤など

● 他法令に基づく表示の例

①生鮮食品（農産物・畜産物・水産物）原産地表示（JAS法）
②魚介類で「養殖」されたものや「解凍」されたもの表示（JAS法）
③食肉の内容量表示（計量法）
④保健機能食品の表示（健康増進法）
⑤医薬品的な効果・効能の表示（薬事法）

3. 流通システム

(1) 地産地消

「地産地消」とは、地域でとれた食べ物をその地域で消費するという意味である。食の安全に対する関心が高まるとともに、「鮮度」や「旬のもの」に対する期待から、地域で生産された新鮮で安全な農林水産物を求める声が高まっている。

岡山県では、平成14年8月に「岡山県地産地消推進会議」を設立。"自分たちの住む地域で作られたものを、その地域で消費しよう"をキーワードに、8つの活動方針を定め、地産地消フェアの開催、キャッチフレーズとマスコットキャラクターの公募・制定、広報誌・ホームページを通じての食材等情報の提供、農業体験の実施による消費者と生産者との交流等により、地産地消の普及・定着を進めている。

マスコットキャラクター

〔活動方針〕
　①地産地消県民運動の推進
　②旬の農林水産物情報の提供
　③消費者ニーズの把握
　④地域農林水産物の直販活動の推進
　⑤学校給食への地域食材の利用促進
　⑥観光関連施設等での地域食材の利用促進
　⑦地域の伝統的料理と食材の普及伝承
　⑧県産木材の利用促進

地産地消おかやまフェア

(2) 農産物直売所

農産物直売所は、規模、有人・無人、常設等分類や形態が様々なことから、正確な設置数の把握は難しいが、以下の①〜⑤の項目に該当する直売所は県下183施設ある。(平成18年3月末現在)
　①市町村・農協・農業者等が組織する団体等を事業主体、運営主体とする共同施設
　②地域の農林水産物を中心とした特産品を販売する施設

③定期的（週1日以上）に開設されている施設
　④常設施設（テント等簡易なものを含む）
　⑤有人・無人は問わない

　直売所では、それぞれの地域の気候特性・土壌条件を活かして栽培されている野菜や果物、魚介類や地元生産者の手による漬物や味噌など加工品等が販売されている。
　また、旬の新鮮な農林水産物を、生産者と消費者が直接触れ合いながら購入できるのが特徴であり、食の安全に対する関心が高まる中で、地産地消の推進のみならず地域の食文化の発信、伝承の拠点としての機能が期待されている。
　岡山県では、直売所ガイドマップの発行や県のホームページ・テレビ・ラジオ・県広報誌等の媒体を活用し、旬の農林水産物やイベント情報を消費者に提供するとともに、直売施設整備や直売所間のネットワークづくりなどの総合的な支援を行っている。

(3) 岡山発！いい味売り込み推進事業

　この事業は、「つくり手」と「買い手」が双方にとって望ましい農産物づくりを進め、さらには、こうして生まれる農産物を、民間企業の斬新なノウハウを用い、販売を促進するものである。
　これまで、農薬の適正使用や生産履歴記帳の推進などにより、安全で安心な農産物の生産を進めてきたが、「つくり手」にとっては「消費者ニーズがわからない」、「買い手」にとっては「作物の良さや、安全性に関する情報を提供して欲しい」など、お互いに知りたい情報がわからないという状況にあった。
　こうした状況を改善するため、「つくり手」と「売り手」と「買い手」が情報を共有できる売場を設置したり、優れた品質の農産物について企業の贈答用として有利に販売するためのセールスプロモーションに取り組むなど、民間企業のマーケティング手法を活用して売り込もうとする取り組みである。

(4) あぐり・夢づくり起業化支援事業

● 事業の目的

　県産農林水産物を扱い、消費者ニーズに即応した生産・販売活動や新商品の開発、今までにない新しい販売方法など、新たな発想やアイデアをビジネスチャンスに結びつけ、生産者から経営者への転換をめざす農林水産業団体・経営体等を支援することにより21世紀型農林水産業創出への新たなうねりを起こし、地域農林水産業の活性化を図る。

● 事業の内容

①ゆめづくり支援
　　新たな事業を起こすに当たっての調査、企画、立案、手続き等を支援
②ものづくり支援
　　新たな商品や新技術、異分野技術の活用、食品業界との連携などによる新たな付加価値や新商品の開発等を支援
③販路づくり支援
　　ＩＴを活用した新たな販路拡大や店舗開設手続き、販売促進イベントへの参加、新サービスによる顧客拡大等を支援

● 対象事業者・補助率

①対象事業者
　　市町村、農林水産業団体、農協、第３セクター、農業者等の組織する団体、３戸以上で構成する農業生産法人、異業種との交流をすすめるグループ又は生産者等
②補助率
　　・ゆめづくり支援：250千円以内（定額）
　　・ものづくり支援：２分の１以内（標準事業費
　　　　　　　　　　　5,000千円）
　　・販路づくり支援：２分の１以内（標準事業費
　　　　　　　　　　　2,500千円）

第4章 食育

県民が食と健康についての理解を深め、正しい食習慣等を身につけるために必要な知識を解説する。

1. 県等の取り組み

　近年、急速な経済発展に伴って生活水準が向上し、食の外部化等食の多様化が大きく進展するとともに、社会経済情勢がめまぐるしく変化し、日々忙しい生活を送る中、食の大切さに対する意識が希薄になり、健全な食生活が失われつつある。

　特に、子どもたちが健全な食生活を実践することは、健康で豊かな人間性を育んでいく基礎になることからも、子どもへの食育を通じて大人自身もその食生活を見直すことが期待されている。

(1) 岡山県食育推進計画

● 計画の趣旨

　岡山県では、食の安全と食育を総合的・計画的に推進するため、「岡山県食の安全・安心の確保及び食育の推進に関する条例」を制定し、この条例に基づき、家庭、学校、ボランティア、地域等の連携により食育を効果的・効率的に推進するため「岡山県食育推進計画」（平成19年3月）を策定した。

● 計画の位置づけ

　この計画は、次のような性格を有するものである。
◎食育基本法、岡山県食の安全・安心の確保及び食育の推進に関する条例に基づく計画。
◎計画の期間は、平成19年度～平成22年度。

● 目指すべき方向性と重要な視点

　「食べることをもっと考えよう」

生活の様々な場面で「食べることを考える」ことを基礎にして、食を楽しみ、食への理解を深め、食に関する知識や食を選ぶ力を身につけることを目指すべき方向としている。
◎重要な視点「食育推進の4本の柱」
・家庭における食育の推進
・子どものときからの食育の推進
・魅力あふれる食文化の継承
・協働で食をはぐくむ環境整備

● 分野別の施策

食育推進体制の整備
　家庭、地域、保育所、学校、ボランティア等との協働で食育を進める。
家庭における食育の推進
　健全な食習慣を確立するため、家庭の役割や食育の重要性について理解を深める。
地域における食育の推進
　地域ぐるみで子どもの生活リズムの向上を図る。
　地域の伝承料理、食文化を継承する。
保育所等における食育の推進
　家庭や地域への食育の発信拠点としての役割を担っていく。
学校における食育の推進
　学校給食の地場産物利用率の向上、体験学習の推進を行う。栄養教諭をはじめ食育担当者の指導体制の確立を図る。
農林漁業者等における食育の推進
　地産地消の推進、各種体験学習への支援を行う。
食品関連事業者等における食育の推進
　リスクコミュニケーションの推進を図る。
消費者における食育の推進
　食の安全に関する知識の普及、食品の適正表示の推進、食の安全に関する情報提供を行う。
ライフステージごとの特性、課題
　乳幼児期、学童期から思春期、青壮年期、中高年期、高齢期別の特性に応じた取り組みを進める。

(2) 健康おかやま21

　岡山県では、県民一人ひとりが充実した豊かな人生を過ごせることを目指した「健康おかやま21」を策定し（平成13年3月）、関係機関及び団体等と連携し、健康づくりに関する各種施策に取り組んできた。
　そして、平成17年度に計画の中間評価を行い、平成18年度からは「健康おかやま21セカンドステージ」として、県民の健康づくりのさらなる推進を目指し、各種施策を推進している。

● 計画の基本的方向性

〇生涯を通じた県民主体の健康づくりの推進
　～若い時からの運動習慣・健康的な食習慣の普及～
〇予防対策の重要性と効果的な事業の推進
　～メタボリックシンドロームの概念を導入した対策の推進～
〇多様な連携による健康づくりの推進
　～健康づくりに関心のある民間活力との協働による積極的な展開～

● 健康おかやま21の体系

「健康おかやま21」は、生活習慣の改善など9分野について地域ぐるみで取り組み、達成すべき目標を設定している。

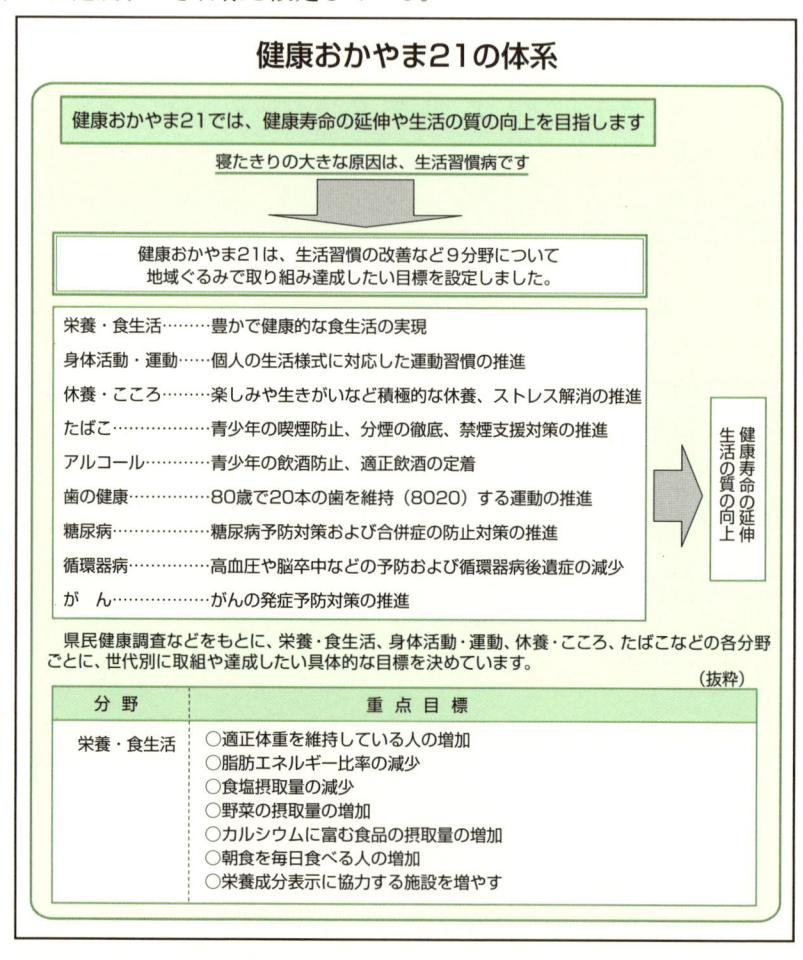

健康おかやま21の体系

健康おかやま21では、健康寿命の延伸や生活の質の向上を目指します

寝たきりの大きな原因は、生活習慣病です

健康おかやま21は、生活習慣の改善など9分野について地域ぐるみで取り組み達成したい目標を設定しました。

- 栄養・食生活………豊かで健康的な食生活の実現
- 身体活動・運動……個人の生活様式に対応した運動習慣の推進
- 休養・こころ………楽しみや生きがいなど積極的な休養、ストレス解消の推進
- たばこ………………青少年の喫煙防止、分煙の徹底、禁煙支援対策の推進
- アルコール…………青少年の飲酒防止、適正飲酒の定着
- 歯の健康……………80歳で20本の歯を維持（8020）する運動の推進
- 糖尿病………………糖尿病予防対策および合併症の防止対策の推進
- 循環器病……………高血圧や脳卒中などの予防および循環病後遺症の減少
- が　ん………………がんの発症予防対策の推進

→ 健康寿命の延伸　生活の質の向上

県民健康調査などをもとに、栄養・食生活、身体活動・運動、休養・こころ、たばこなどの各分野ごとに、世代別に取組や達成したい具体的な目標を決めています。

（抜粋）

分野	重点目標
栄養・食生活	○適正体重を維持している人の増加 ○脂肪エネルギー比率の減少 ○食塩摂取量の減少 ○野菜の摂取量の増加 ○カルシウムに富む食品の摂取量の増加 ○朝食を毎日食べる人の増加 ○栄養成分表示に協力する施設を増やす

●「健康おかやま21」と「岡山県食育推進計画」

　県民一人ひとりが、地域の豊かなつながりの中で、快適にいきいきと生活できる社会の形成に向けて「快適生活県おかやま」の実現を目指し、各種施策に取り組んでいる。
　特に、「栄養・食生活」に関する分野においては、「健康おかやま21」と「岡山県食育推進計画」を策定し、それぞれの特性を生かしつつ、整合性を図りながら食育の推進のための各種施策を推進している。

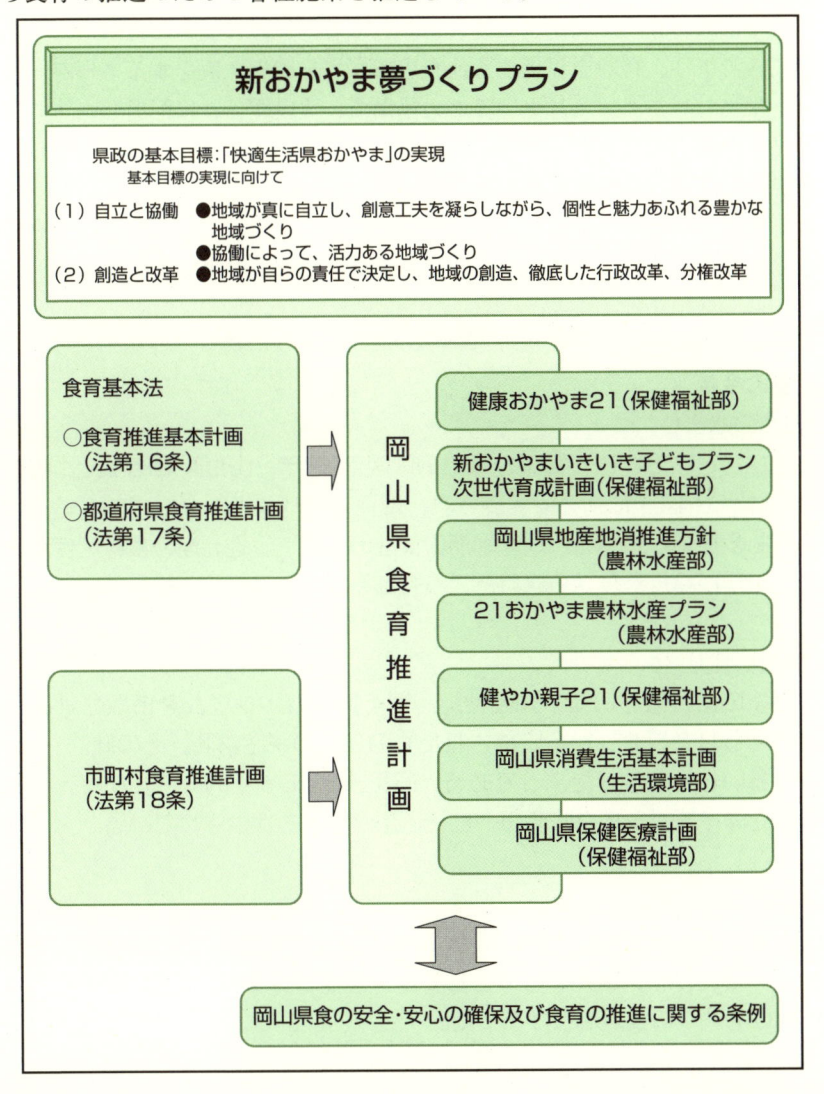

新おかやま夢づくりプラン

県政の基本目標：「快適生活県おかやま」の実現
　　基本目標の実現に向けて
(1) 自立と協働　●地域が真に自立し、創意工夫を凝らしながら、個性と魅力あふれる豊かな地域づくり
　　　　　　　　●協働によって、活力ある地域づくり
(2) 創造と改革　●地域が自らの責任で決定し、地域の創造、徹底した行政改革、分権改革

食育基本法
○食育推進基本計画（法第16条）
○都道府県食育推進計画（法第17条）

市町村食育推進計画（法第18条）

↓

岡山県食育推進計画
- 健康おかやま21（保健福祉部）
- 新おかやまいきいき子どもプラン 次世代育成計画（保健福祉部）
- 岡山県地産地消推進方針（農林水産部）
- 21おかやま農林水産プラン（農林水産部）
- 健やか親子21（保健福祉部）
- 岡山県消費生活基本計画（生活環境部）
- 岡山県保健医療計画（保健福祉部）

↓

岡山県食の安全・安心の確保及び食育の推進に関する条例

第4章　食育

健康づくりのための食育の取り組み

　県民一人ひとりが正しい食生活を継続し、健康づくりにつながるよう、健康づくりのための食育に関する各種事業に取り組んでいる。

栄養成分表示の店登録事業
　外食料理の栄養成分表示やヘルシーメニューといった健康に配慮した食事を提供する飲食店を増やす。

おいしーヘルシー協力店
　外食や市販の弁当を利用する場合においても、健康に配慮したメニューの選択ができるよう、料理を提供する飲食店や弁当を製造・販売するスーパーマーケットやコンビニエンスストア等との協働で、健康づくりに配慮したメニューや弁当の開発・販売に取り組む。

外食世代の健康づくり推進事業等
　若い世代を対象に、スーパーマーケットやコンビニエンスストアなどを活用して栄養のバランスがとれるような食品選択の知識の習得の支援を行う。

一口メモ

給食の今昔

「給食の始まり」
　給食が日本で初めて実施されたのは明治22年、山形県であった。岡山県では明治44年に初めて実施され、現在ではバイキング形式など給食の形態も多様化している。地産地消の推進のために、地元産の食材を使って郷土料理が給食で食べられるところもある。

「脱脂粉乳」
　戦後の給食において、動物性たんぱく質やカルシウムを摂取させようと考えられユニセフから支給されたものがこの脱脂粉乳。その味は‥‥あまりおいしくなかったようである。昭和39年に本格的に牛乳が導入され、現在ではイチゴミルク味やコーヒーミルクなども提供されている。

「鯨肉」
　現在では捕鯨規制により、市場に出回ることが滅多にない食材となっている。給食の思い出のひとつとしてよく挙げられるのがこの「鯨肉」。竜田揚げやオーロラ煮などがあった。

朝食毎日食べよう大作戦（岡山県栄養改善協議会）

　岡山県栄養改善協議会では、朝食の大切さを普及啓発し、朝食を毎日食べる学童の割合を増やすため、手軽につくれるおにぎりの活用を中心とした「朝食毎日食べよう大作戦」に取り組んでいる。

2．食生活の現状

　ライフスタイルの変化などにより、食生活の多様化・外部化が進むなど食生活を取り巻く環境も大きく変化している。一方、栄養の偏り、不規則な食事、生活習慣病の増加、過度の痩身志向など食生活に関する問題も生じている。
　「快適生活県おかやま」の実現を目指すためには、県民一人ひとりが栄養・食生活について考え、正しい食生活の実践に取り組むことが必要である。

(1) 食生活の現状

● 朝食の状況

　朝食を毎日食べる人の割合は、男性では増え、女性ではほとんど変化がなかった。

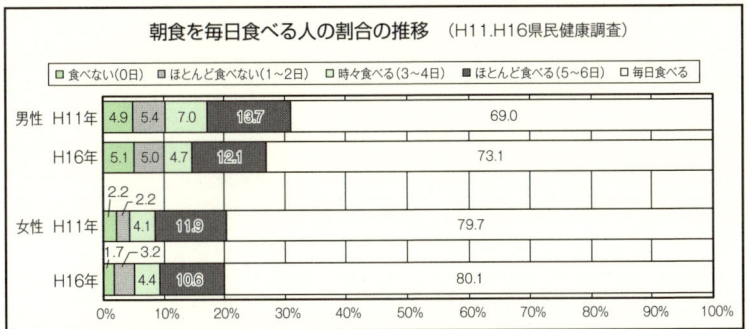

朝食を毎日食べる人の割合の推移　（H11.H16県民健康調査）

凡例：食べない(0日)／ほとんど食べない(1～2日)／時々食べる(3～4日)／ほとんど食べる(5～6日)／毎日食べる

		食べない(0日)	ほとんど食べない(1~2日)	時々食べる(3~4日)	ほとんど食べる(5~6日)	毎日食べる
男性	H11年	4.9	5.4	7.0	13.7	69.0
	H16年	5.1	5.0	4.7	12.1	73.1
女性	H11年	2.2	2.2	4.1	11.9	79.7
	H16年	1.7	3.2	4.4	10.6	80.1

第4章　食育　121

● 食品を選んだり整える知識の推移

　食品を選んだり食事を整える知識が十分にある人、まあまあある人の割合は増加している。

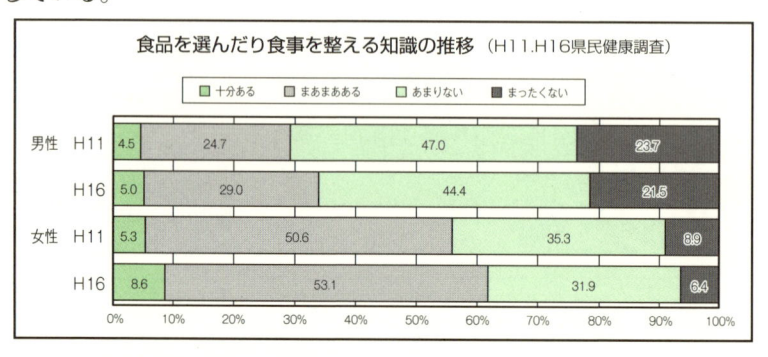

食品を選んだり食事を整える知識の推移 （H11.H16県民健康調査）

凡例：十分ある／まあまあある／あまりない／まったくない

		十分ある	まあまあある	あまりない	まったくない
男性	H11	4.5	24.7	47.0	23.7
	H16	5.0	29.0	44.4	21.5
女性	H11	5.3	50.6	35.3	8.9
	H16	8.6	53.1	31.9	6.4

● 栄養成分表示の活用の推移

　栄養成分表示の活用をしている割合に変化はなかった。女性の半数は栄養成分表示を活用しているが、男性はあまり活用していなかった。

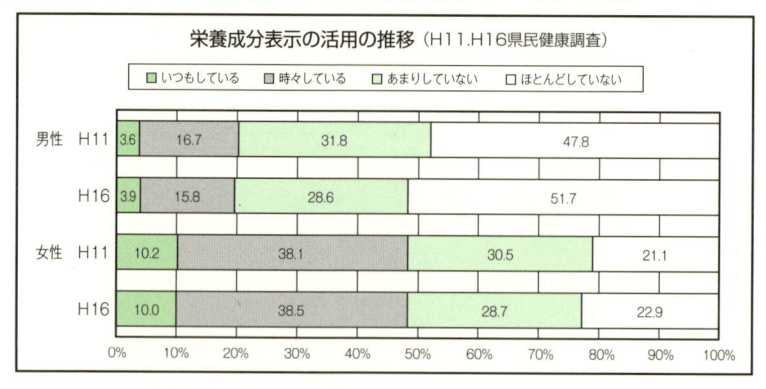

栄養成分表示の活用の推移 （H11.H16県民健康調査）

凡例：いつもしている／時々している／あまりしていない／ほとんどしていない

		いつもしている	時々している	あまりしていない	ほとんどしていない
男性	H11	3.6	16.7	31.8	47.8
	H16	3.9	15.8	28.6	51.7
女性	H11	10.2	38.1	30.5	21.1
	H16	10.0	38.5	28.7	22.9

(2) 栄養素の摂取状況

● エネルギー

　エネルギー摂取量は、平成11年と比べて平成16年には若干減少しているが、摂取量に占める脂肪エネルギー比率は若干増加している。

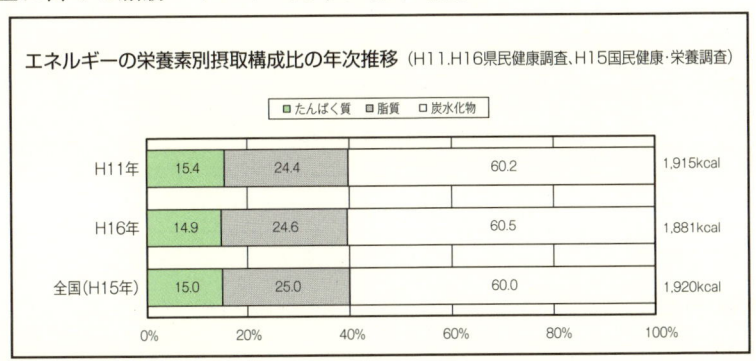

エネルギーの栄養素別摂取構成比の年次推移 (H11.H16県民健康調査、H15国民健康・栄養調査)

	たんぱく質	脂質	炭水化物	
H11年	15.4	24.4	60.2	1,915kcal
H16年	14.9	24.6	60.5	1,881kcal
全国(H15年)	15.0	25.0	60.0	1,920kcal

● 脂質

　脂肪の摂取量は、平成11年と比べほとんど変化がないが、動物性脂肪の摂取量はやや増加している。

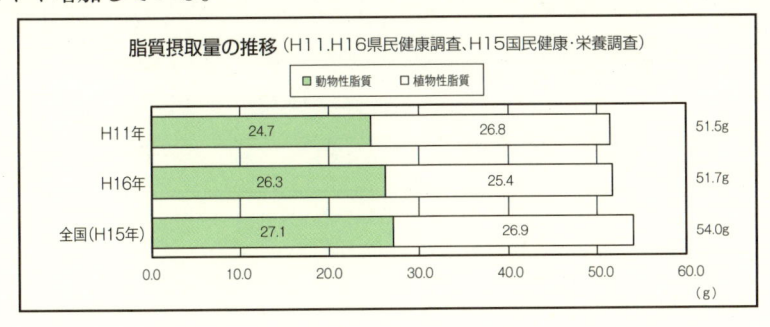

脂質摂取量の推移 (H11.H16県民健康調査、H15国民健康・栄養調査)

	動物性脂質	植物性脂質	
H11年	24.7	26.8	51.5g
H16年	26.3	25.4	51.7g
全国(H15年)	27.1	26.9	54.0g

第4章　食育　123

● たんぱく質

　たんぱく質の摂取量は、平成11年と比べて動物性たんぱく質の摂取量はほとんど変化がないが、植物性たんぱく質の摂取量はやや減少している。

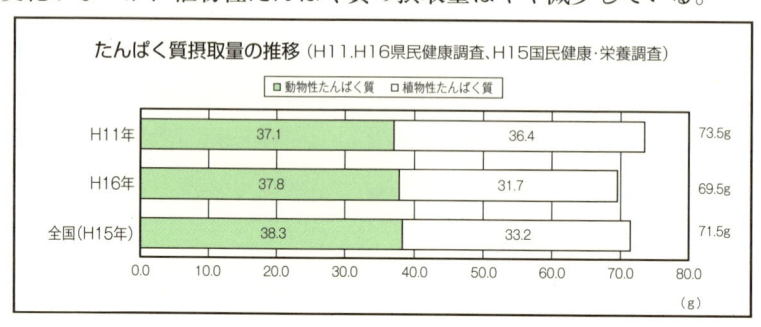

たんぱく質摂取量の推移 （H11,H16県民健康調査、H15国民健康・栄養調査）

□ 動物性たんぱく質　□ 植物性たんぱく質

	動物性	植物性	合計
H11年	37.1	36.4	73.5g
H16年	37.8	31.7	69.5g
全国(H15年)	38.3	33.2	71.5g

(g)

● カルシウム

　カルシウムの摂取量は、平成11年と比べて女性の摂取量は増加しているが、男性はほとんど変化がなかった。

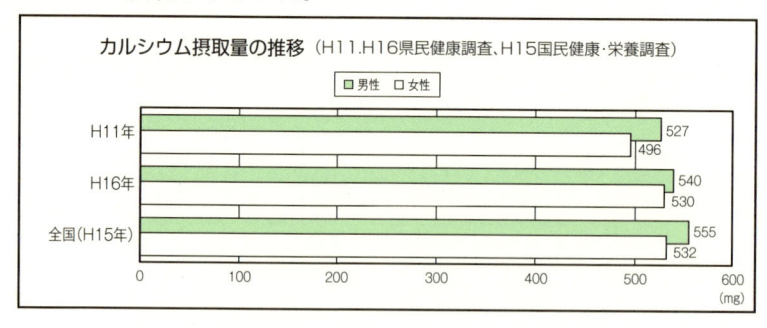

カルシウム摂取量の推移 （H11,H16県民健康調査、H15国民健康・栄養調査）

□ 男性　□ 女性

	男性	女性
H11年	527	496
H16年	540	530
全国(H15年)	555	532

(mg)

● 鉄

　鉄の摂取量は、日本食品標準成分表の改訂により平成11年と単純に比較はできないが、減少している。

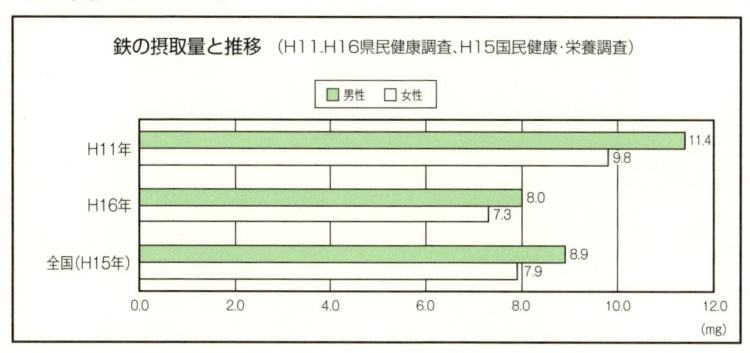

鉄の摂取量と推移 （H11.H16県民健康調査、H15国民健康・栄養調査）

	男性	女性
H11年	11.4	9.8
H16年	8.0	7.3
全国(H15年)	8.9	7.9

(単位:mg)

(3) 食品の摂取状況

● 穀類

　穀類の摂取量は、平成11年と比べてほとんど変化はなかった。

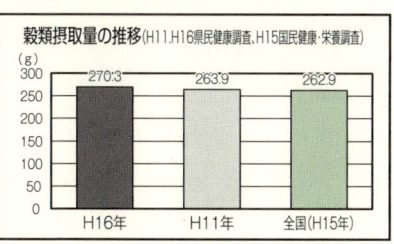

穀類摂取量（H16県民健康調査）

男性	女性
306.0	237.9

(単位:g)

穀類摂取量の推移（H11.H16県民健康調査、H15国民健康・栄養調査）

H16年	H11年	全国(H15年)
270.3	263.9	262.9

(単位:g)

第4章　食育　●125

● 魚介類・肉類

　魚介類の摂取量は、平成11年と比べてほとんど変化はなかった。肉類の摂取量は、平成11年と比べると少し減少していた。

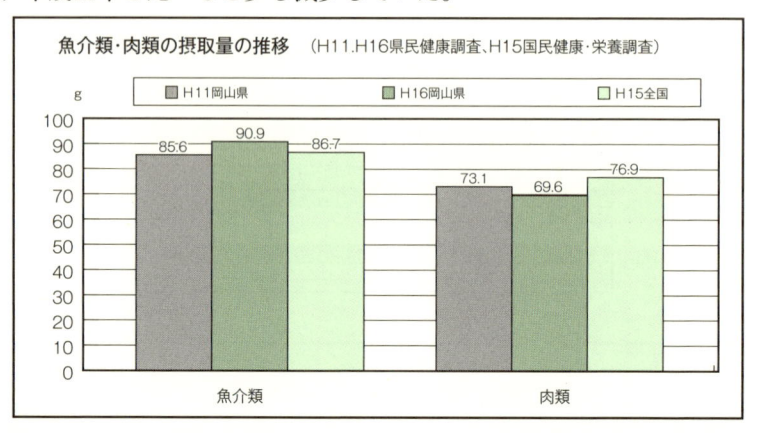

魚介類・肉類の摂取量の推移　(H11.H16県民健康調査、H15国民健康・栄養調査)

	H11岡山県	H16岡山県	H15全国
魚介類	85.6	90.9	86.7
肉類	73.1	69.6	76.9

● 野菜

　野菜の摂取量は、全国と比べると若干多めだが、20～29歳については全国よりも摂取量が少なくなっている。

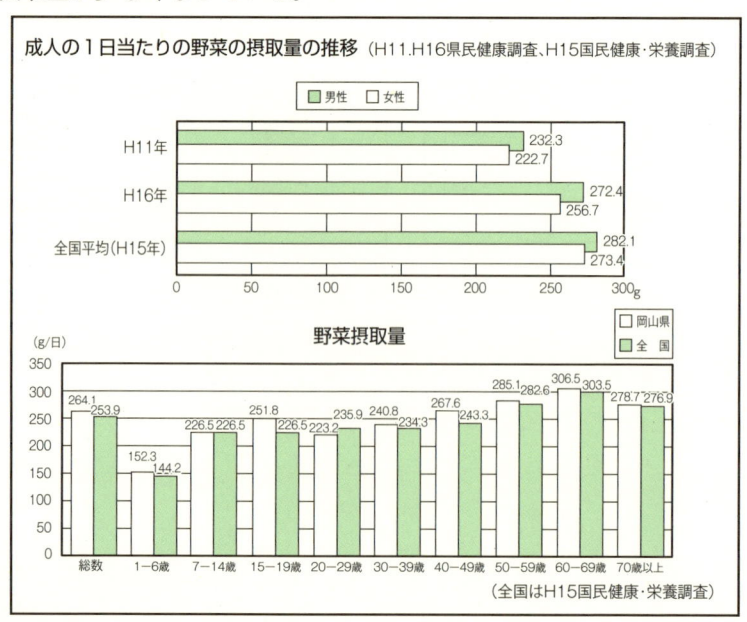

成人の1日当たりの野菜の摂取量の推移　(H11.H16県民健康調査、H15国民健康・栄養調査)

	男性	女性
H11年	232.3	222.7
H16年	272.4	256.7
全国平均(H15年)	282.1	273.4

野菜摂取量 (g/日)

年齢	岡山県	全国
総数	264.1	253.9
1-6歳	152.3	144.2
7-14歳	226.5	226.5
15-19歳	251.8	223.2
20-29歳	235.9	240.8
30-39歳	234.3	267.6
40-49歳	243.3	285.1
50-59歳	282.6	306.5
60-69歳	303.5	278.7
70歳以上	276.9	

(全国はH15国民健康・栄養調査)

● 乳類

　乳類の摂取量は、平成11年と比べて男性では1.7倍、女性では1.5倍に増加している。

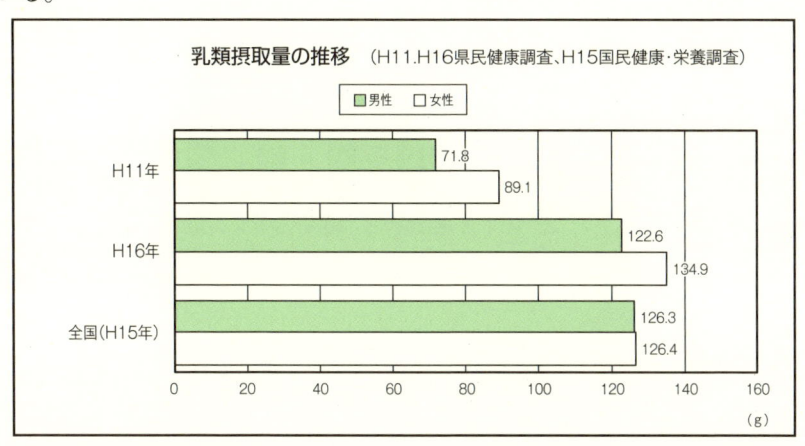

乳類摂取量の推移 （H11.H16県民健康調査、H15国民健康・栄養調査）

	男性	女性
H11年	71.8	89.1
H16年	122.6	134.9
全国(H15年)	126.3	126.4

(g)

(4) 食塩の摂取状況

　食塩摂取量は、平成11年と比較すると大幅に減少しており、女性については、「健康おかやま21」の目標である1日10ｇ未満を達成している。

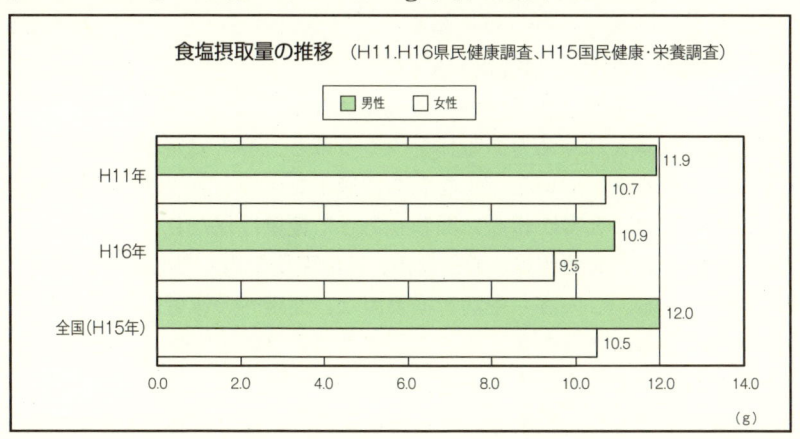

食塩摂取量の推移 （H11.H16県民健康調査、H15国民健康・栄養調査）

	男性	女性
H11年	11.9	10.7
H16年	10.9	9.5
全国(H15年)	12.0	10.5

(g)

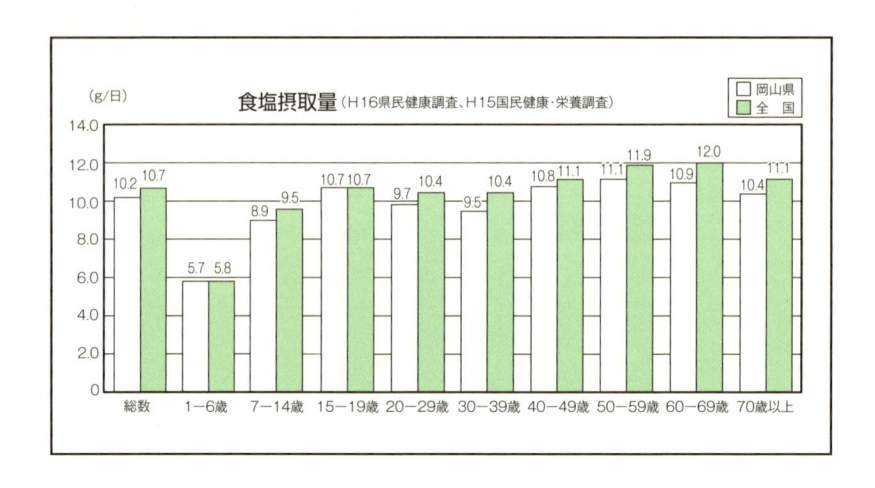

食塩摂取量（H16県民健康調査、H15国民健康・栄養調査）

年齢	岡山県	全国
総数	10.2	10.7
1-6歳	5.7	5.8
7-14歳	8.9	9.5
15-19歳	10.7	10.7
20-29歳	9.7	10.4
30-39歳	9.5	10.4
40-49歳	10.8	11.1
50-59歳	11.1	11.9
60-69歳	10.9	12.0
70歳以上	10.4	11.1

3．健康と栄養・食生活

(1) 健康と栄養

　人が生涯いきいきと生活するためには、健康であることが何よりも必要な条件である。健康であるためには何をどのように考えれば良いのだろうか。世界に共通する健康の定義の一つとして「健康とは、身体的、精神的そして社会的に完全に良好な状態であり、単に疾病または虚弱でないというだけではない」と世界保健機構（WHO）は提唱している。

　健康は、体をつくり、エネルギーを得るために適正な食物を摂取すること、適度な運動を取り入れ、活力ある体をつくること、心の安定と心地よい休養が加わることで成り立っている。すなわち、「適正な栄養と食生活」、「適度な運動」と「休養」の3つの要素が相互に関わりあって健康は保たれている。

　健康に影響を及ぼす要因は、遺伝要因、外部環境要因、内部環境（生活習慣）要因に大別される。このうち生活習慣要因は、健康への影響が最も大きく、なおかつ個人の努力によって変えることができる影響因子であることから、より良い生活習慣こそが健康の維持増進につながると考えられる。

　生活習慣の中でも特に重要なのが食習慣であり、心と身体と社会の健康および自然との共存をはかることのできる食生活が望まれる。身体的な健康という点からは、栄養状態を適正に保つために必要な栄養素等を摂取することが求められ、その一方で食生活は社会的、文化的な営みであり、人々の生活の質（QOL）との関わりも深い。

食べることは生きるための基本である。健康状態は栄養によって大きく左右される。健康によい食生活とはただ欲しいものを食べればよいというものではなく、正しい栄養の知識をもって食べることが重要である。

(2) 栄養の基礎知識

栄養とは、人が食べ物を摂取することによって、必要な成分を体内に取り入れて利用し、生命の維持・成長・労働など人間としてのさまざまな機能を発揮し、心身ともに健全な活動を営むことをいう。また、摂取する物質のことを栄養素といい、炭水化物、脂質、たんぱく質、ビタミン、ミネラルがこれに相当し、五大栄養素とよばれている。特に、炭水化物、脂質、たんぱく質は体内でエネルギー源となるため三大栄養素とよばれている。通常、カロリーとよばれるのは、このエネルギー（熱量）のことを指し、カロリーとは熱量の単位のことをいう。食物にはこの他、食物繊維、香気成分、色素成分などがいろいろ含まれており、食欲や生体の消化・吸収に影響を及ぼしている。最近では、イソフラボンやカテキンなどの成分が生体機能の正常化や老化防止に役立つものとして非常に注目されている。

また、栄養素には体内で合成できるものとできないものがある。体内で合成できないものは必須栄養素とよばれ、ビタミンやミネラル、一部のアミノ酸、脂肪酸が含まれる。これらは人が健康を維持・増進するために必ず食物から摂取しなければならないものである。

人にとって必要な栄養素やエネルギーの量は年齢、性別、体格、身体活動レベルなどによって個人ごとに異なる。また個人の中でも条件によって変動する。そのため、個人の「真」の望ましい摂取量を知ることは困難である。そこで、現在、健康な個人または集団を対象とした食事摂取量の目安として「日本人の食事摂取基準」が厚生労働省により示され活用されている。

最近、食糧の無駄遣いや栄養素の偏り、過食などが問題となっている。また、インターネットの普及により栄養や食品に関する情報が手軽に入手できるようになり、健康に対する関心も高まっている。その半面、ダイエット食品などの健康食品に関する情報過多は誤った健康観をもたらし、健康被害もしばしば報告されている。値段の安さから数多く出回っている輸入食品には残留農薬等の食の安全性に関する問題点もあり、地産地消が見直されるとともに、消費者一人ひとりの食に対する正しい認識が必要となっている。

(3) 栄養素のバランス

　三大栄養素である炭水化物と脂質は、運動（筋肉の収縮）、産熱（体温保持）、神経伝達などに使われるエネルギーの供給源となる栄養素である。たんぱく質、カルシウムやリンなどのミネラル、水分は、身体成分（組織、臓器の構成成分、体液成分、免疫成分など）の材料となる栄養素である。ビタミン、ミネラルは、身体機能の調節に関わる栄養素である。栄養素の働きは、相互に密接に関連しており、どれが欠けても代謝が円滑に行えない。

　食品は、種類によって含有する栄養素の種類と量が異なるので、必要な栄養素をバランス良く摂取しようとすると、多種類の食品を組み合わせなければならない。食品と栄養素の関係を具体的に理解するために、栄養成分の似通った食品同士をいくつかのグループに分けた食品群が用いられている。これは、栄養バランスの良い食品の組み合わせを考える時に便利な分類法である。この食品群の分類法のひとつに「6つの基礎食品」がある。日ごろ使用する食品を6つの群に分け、第1群（主にたんぱく質を含む食品）から主菜、第2群（主にカルシウムなどのミネラルを含む食品）・第3群（主にビタミン、ミネラル、食物繊維を含む食品）・第4群（主にビタミンC、食物繊維を含む食品）から副菜、第5群（主に炭水化物を含む食品）から主食、第6群（主に脂質を含む食品）から油脂を選ぶと、いろいろな食品を組み合わせた栄養バランスの良いメニューが完成する。

　近頃は、外食や加工食品、調理食品もよく利用されるようになってきたが、メニューの組み合わせに注意することや、手作りの食事と上手に組み合わせることで、栄養バランスのよい食事になるよう工夫することが大切である。

(4) 日本人の食事摂取基準（2005年版）

　日本人の食事摂取基準は、健康の保持・増進と生活習慣病予防のために必要なエネルギー量と各種栄養素の摂取すべき量の、1日あたりの基準を示したものである。年齢別、性別、日常生活での活動内容別、妊婦・授乳婦別に基準が決められている。

　食事摂取基準の対象者は、健康な個人、または集団であり、軽度な疾患（例えば、高血圧、高脂血症、高血糖）であっても、食事療法や食事制限を行っていない人も含まれる。食事として日常的に口から食べるもの（健康増進のために服用するサプリメント等も含む）、すべてに含まれるエネルギーと栄養素の基準が決められている。エネルギーの過不足は体重の変化を目安にしており、

エネルギーの指標である推定エネルギー必要量は、その性、年齢、活動内容の人にとって、過不足が起きにくい摂取量となっている。栄養素として、たんぱく質、脂質（総脂質、飽和脂肪酸、n-6系脂肪酸、n-3系脂肪酸、コレステロール）、炭水化物、食物繊維、水溶性ビタミン（ビタミンB_1、ビタミンB_2、ナイアシン、ビタミンB_6、葉酸、ビタミンB_{12}、ビオチン、パントテン酸、ビタミンC）、脂溶性ビタミン（ビタミンA、ビタミンE、ビタミンD、ビタミンK）、ミネラル（マグネシウム、カルシウム、リン）、微量元素（クロム、モリブデン、マンガン、鉄、亜鉛、セレン、ヨウ素）、電解質（ナトリウム、カリウム）について基準がある。各栄養素に対する指標のうち、推定平均必要量、推奨量、目安量は欠乏症の予防を目的とした指標で、目標量は生活習慣病の予防を目的とした指標である。また、上限量は過剰摂取による健康障害の予防を目的とした指標である。

(5) 食生活指針

　正しい食生活は、子どもから大人まで健康に生活していくために必要なことであり、健康な状態を適正に保つためには必要な栄養素等を摂取することが大切である。さらに食生活は社会的、文化的な営みであり、人々の生活の質（QOL）と大きく関わっている。
　ところが、近年の食生活は、食生活の変化に伴う栄養バランスの崩れによる、生活習慣病（糖尿病、心臓病など）の増加、また、食べ残しや食品の廃棄などの発生、さらには食料自給率の低下などが大きな問題となっている。
　そのため日々の生活の中で「いつ、どこで、誰と、何を、どれだけ、どのように食べたらよいか」を具体的に実践できる目標として2000年3月に農林水産省と文部省（現文部科学省）、厚生省（現厚生労働省）が共同して策定した。

【食生活指針】
① 食事を楽しみましょう。
　・心とからだにおいしい食事を、味わって食べましょう。
　・毎日の食事で、健康寿命をのばしましょう。
　・家族の団らんや人との交流を大切に、また、食事づくりに参加しましょう。
② 1日の食事のリズムから、健やかな生活リズムを。
　・朝食で、いきいきした1日を始めましょう。
　・夜食や間食を摂りすぎないようにしましょう。
　・飲酒はほどほどにしましょう。

③主食、主菜、副菜を基本に、食事バランスを。
　・多様な食品を組み合わせましょう。
　・調理方法が偏らないようにしましょう。
　・手作りと外食や加工品・調理食品を上手に組み合わせましょう。
④ごはんなどの穀類をしっかりと。
　・穀類を毎食とって、糖質からのエネルギー摂取を適正に保ちましょう。
　・日本の気候・風土に適している米などの穀類を利用しましょう。
⑤野菜・果物、牛乳・乳製品、豆類、魚なども組み合わせて。
　・たっぷり野菜と毎日の果物で、ビタミン、ミネラル、食物繊維をとりましょう。
　・牛乳・乳製品、緑黄色野菜、豆類、小魚などで、カルシウムを十分にとりましょう。
⑥食塩や脂肪は控えめに。
　・塩辛い食品を控えめに、食塩は1日10g未満にしましょう。
　・脂肪の摂りすぎをやめ、動物、植物、魚由来の脂肪をバランスよくとりましょう。
　・栄養成分表示を見て、食品や外食を選ぶ習慣を身につけましょう。
⑦適正体重を知り、日々の活動に見合った食事量を。
　・太ってきたかな？と感じたら、体重を量りましょう。
　・普段から意識して身体を動かすようにしましょう。
　・美しさは健康から。無理な減量はやめましょう。
　・しっかりかんで、ゆっくり食べましょう。
⑧食文化や地域の産物を活かし、ときには新しい料理も。
　・地域の産物や旬の食材を使うとともに、行事食を取り入れながら、自然の恵みや四季の変化を楽しみましょう。
　・食文化を大切にして、日々の食生活に活かしましょう。
　・食材に関する知識や料理技術を身につけましょう。
　・ときには新しい料理を作ってみましょう。
⑨調理や保存を上手にして無駄や廃棄を少なく。
　・買いすぎ、作りすぎに注意して、食べ残しのない適量を心がけましょう。
　・賞味期限や消費期限を考えて利用しましょう。
　・定期的に冷蔵庫の中身や家庭内の食材を点検し、献立を工夫して食べましょう。
⑩自分の食生活を見直してみましょう。
　・自分の健康目標をつくり、食生活を点検する習慣を持ちましょう。
　・家族や仲間と、食生活を考えたり、話し合ったりしてみましょう。

・学校や家庭で食生活の正しい理解や望ましい習慣を身につけましょう。
・子どもの頃から、食生活を大切にしましょう。

(6) 食事バランスガイド

　野菜の摂取不足、食塩、脂質のとり過ぎなどの生活上の問題や、肥満や糖尿病などの生活習慣病の増加の問題が深刻化している。そこで、「食生活指針」（平成12年3月策定）を具体的な行動に結びつけるために、厚生労働省と農林水産省から「食事バランスガイド」が示された（平成17年6月策定）。これは、私たちが健康で暮らすには1日に「何を」「どれだけ」食べたらよいかという食事の基本を身に付けるために、食事の望ましい組み合わせとおおよその目安量が分かりやすくイラストで示されている。

　食事バランスガイドでは、5つの料理グループをコマのイラストで表現している。5つの料理グループは、①主食（ご飯・パン・麺）、②副菜（野菜・きのこ・いも・海藻料理）、③主菜（肉・魚・卵・大豆料理）、④牛乳・乳製品、⑤果物で、各グループを具体的な献立例で示している。一日にとる料理・食品の目安の数値を「つ（SV＝サービング：食べる量の単位）」で表し、どのグループの料理・食品をいくつ食べたらよいのかを確認する。

　このイラストは、一日にとる食事（5つの料理グループ）のバランスが悪いとコマが倒れてしまうことを表現しており、コマのバランスが崩れないように各グループの食べる量を工夫すれば、自然とバランスの取れた食生活が身につくようにできている。また、欠かすことのできない水やお茶、菓子や嗜好飲料についてもコマで表している。さらに、コマは回転することで初めて安定することから、「コマの回転＝運動」を意味し、食事と運動でバランスを取ることを表している。

　活用のポイントは、5つの料理グループをまたがって数量を交換することはできないが、同じ料理グループ内では自由に組み合わせができることである。

　岡山県では、岡山県栄養士会により「岡山県版食事バランスガイド」が策定されており、料理例では地域の食材を使ったメニューでわかりやすく示されている。

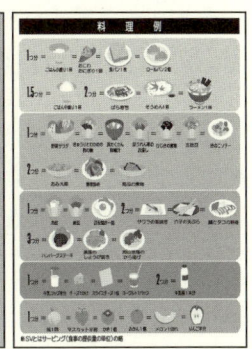

4. 年代別食生活

(1) 乳児期

乳児期の食事のポイント

　乳児期は生涯にわたる健全な食生活の基礎を固める大切な時期であり、この頃の栄養の良否は将来に大きな影響を及ぼす。満1歳で体重は出生時の約3倍と生涯で最も著しく成長し、おすわりからひとり歩きと運動機能の発達、精神的・情緒的にも発育が進む時期である。しかし赤ちゃんは食に対してつねに与えられたものを食べる受け身の立場である。この時期の食生活がその後の成長や食生活に影響することから、保護者は食の大切さや食生活の見直しに努めたい。

● 妊娠前からの健康な体づくりと妊娠中のすこやかな食生活

　赤ちゃんを産み、育てるための体づくりは妊娠前から重要で極度のやせや肥満は防ぐ。妊娠中の食事は母体と赤ちゃん双方に良好な状態で出産を迎えられるよう適切なエネルギー量とバランスを考える。

● 安心と安らぎの中での母乳（ミルク）

　授乳は単に栄養面だけでなく、病気にかかりにくくし、精神的にも安定させるなど、いろいろな面からみて最適である。周囲は母乳がつづけられるようお母さんを支え、ミルクで育てる場合も、スキンシップを大切にして、安らかな心地よい気分で赤ちゃんが飲めるよう心がける。

● 初めて出会う食体験としての離乳食

　発育に伴い、乳だけでは成長に見合う栄養が満たせない。大人の食事を見て興味を示すなどは、食べ物の受け入れ体制が整ってきたサインで、生後5カ月ごろを目安に離乳食を始める。

● 素材本来の味を大切に、かむ・飲み込む力を育てる離乳食

　ドロドロ状のものから始め、おかゆ等の穀類から野菜、卵、魚と徐々に食品を増やす。基本は薄味で、固さや量、種類を増やしていき、次第に主食・主菜・副菜を組み合わせていく。かむ・飲み込むことの基礎固めで多様なものを食べさせたいが、無理強いはせず、自分で食べる意欲を大事にする。食物をかみ潰す、栄養の大部分が乳以外の食品から摂れるようになればゴールである。

● 家族でそろって楽しく食べよう

　家族一緒で、食卓が楽しい場であることは早い時期から感じさせたい。季節の物や郷土料理を取り入れるなど、献立に変化をつけ、将来の偏食を減らすよう家族ぐるみで心がけたい。

(2) 幼児期

幼児期の食事のポイント

　幼児期は、乳児期に次いで発育の盛んな時期だが、消化機能がまだ未完成な上、特に偏食や小食、拒食といった問題を起こしやすい時期でもある。そこで、幼児期の食事では、家庭・地域・幼稚園や保育園が連携して栄養・健康・しつけ・社会性に配慮しつつ、食を営む力の基礎を育むことが重要になる。

● お腹がすくリズムをもつ

　生活リズムの基本は三度の食事で作られるため、早寝・早起き・朝ごはんを目標に家族で生活リズムを見直すことが大切である。また、空腹での食事は何よりの御馳走なので、食事の準備が整うまで待つ等、適度な空腹感を感じるがまんをさせることも必要になる。

● 食べたいもの、好きなものを増やす

　幼児期の偏食は自己主張の表れに加えて、味覚の発達や色や形から初めての食べ物を警戒したり、気分や感覚で好き嫌いを判断する時期と重なり生じる一過性の場合が多い。そこで、嫌いなものをなくすのではなく好きなものを増やしていくという考え方で、無理はしないが諦めないことが大切である。意識し

て多様な食べ物にふれさせるとともに、周囲がおいしそうに食べることが効果的である。

● 食べ物を話題にする

野菜や生き物の育ちを知ることで、食材への興味や作る人や食べ物への感謝の気持ちを育むと同時に、子どもが出されたものをただ食べるのではなく、出された食事に興味が持てるように配慮する。

● 食事づくり、準備に関わらせる

食事前の食卓の準備や豆のさやむき等の調理も可能な年齢になる。買い物、食事の準備・調理・後片付けのお手伝い等、子ども自身を積極的に「食」に関わらせることを通して、食事づくりへの興味や家族や他者のために役立つ喜びを育むことが重要である。

● 共食の喜びを感じさせる

家族や仲間と一緒に食べることで会話が生まれ、食事がおいしく感じられる。食卓は人とのかかわりや食事のマナー・習慣を学ぶ場でもある。モデルとなる家族とともに食卓を囲む時間を作ろう。

(3) 学童期

学童期の食事のポイント

成長期の子どもにとって3度の食事は、心身に栄養を補給する重要な役割を持つ。しかし、家庭で食事を用意することが少なくなり、加工食品やできあいの惣菜や弁当、ファーストフード、コンビニエンスストア、外食の利用が多くなっている。それぞれの長所と短所を知って上手に利用すれば時間が節約できるが、忙しい中でも、手づくりや家族一緒に食卓を囲む努力を大切にしたいものである。味の好みは、子どもの時から食べてきた食物に大きく影響されるため、豊かな食の体験を積み、食事づくりや買い物など、できる所から子どもにさせてあげることが望ましい。

● 朝食をおいしく食べる

　岡山県の小中学生を対象にした調査では、朝食を食べる子は食べない子よりも、体力の判定が高い傾向にあったと報告されている。朝すっきりと目覚めて朝食をおいしく食べるためには、①夕食を遅くに食べない、②量を食べすぎない、③夜ふかししないといった前夜の過ごしかたが大切である。家族が遅くまで起きていると、子どもも一緒に起きていたくなるため、家族ぐるみで早寝早起きに取り組み規則正しい生活リズムを作りたい。

● 体重をほどほどに保つ

　体重を定期的に測定し、急に増えすぎた時には早めに対処するようにする。つまり、食事からのエネルギーを減らして、運動量を増やす。また体重だけでなく、ウエスト周囲（80cm以上は要注意）にも気を配る必要がある。肥満が気になる一方で、小学校高学年になると女子では「やせ」の割合が増えてくる。体の様々な組織の成長が著しくなるこの時期に、極端な食事制限をしないよう、本人と周囲への栄養教育が必要である。

● 間食と飲みもの

　お菓子の食べすぎは油や塩分、砂糖のとりすぎにつながりやすいので、皿に取り分けて季節の果物や牛乳・茶などと組み合わせて食べる習慣をつけたいものである。また、岡山県の小学生では、ジュース、炭酸飲料、スポーツドリンクなどの量が多い子ほど肥満傾向にあると報告されている。肥満とむし歯予防のためにも、飲みすぎに気をつけたい。

● バランスよく食べる

　子どもたちは小学校で、「赤・黄・緑」の食品をバランス良く取りそろえて食べることを学んでいる。家庭でも3つの食品群をそろえた食事づくりを心がけたい。

● 楽しく食べる

　食事は家族団らんの場。「宿題はしたの？」などの小言は控え、その日の出

来事を語り合うなど楽しい時間にしたいものである。食事のマナーや箸の使い方なども食卓で自然と身に付くように教えてあげましょう。

(4) 青・壮年期

　ここでは青・壮年期は、20歳代前半から60歳代前半を指し、前半の20歳代～30歳代を青年期、後半の40歳代～60歳代前半を壮年期とする。

　青年期は親からの自立を果たし就職、やがて結婚、出産と家庭を経営する時期であり、社会的には労働生産活動の中核としての役割を果たしてゆく年代である。この年代は、仕事や家事・育児中心の生活に加えて、転勤や単身赴任、残業、夜間勤務などその勤務状況などから、過労やストレスの増加、夜型生活などにより生活リズムや食生活・食習慣やその他の生活習慣に乱れが生じやすい。しかし、若さのゆえに体力もあり、無理もきくので自らの健康感に対して無防備となりやすく、健康への意識も低い。

　壮年期は社会的にも重責を担い、活躍が期待される円熟・充実した時期であるが、生理的には身体諸器官の機能の減退が病的変化と重なり、疾病異常として生活習慣病の発現する率も高くなる時期である。

　単身生活者の食事は、①不規則な生活習慣が身につきやすく、朝食の欠食が多い。②外食・中食・加工食品の利用は利便性、簡便性は高いが一般的には脂肪や食塩摂取が多い。③早食いやまとめ食いになりやすく肥満が助長されやすい。

● 青・壮年期の食生活

①食事は文化のひとつだという意識を持って楽しむ。毎食、主食・主菜・副菜を基本に食事のバランスを考え、多様な食品をとって足りないものを補う習慣をつける。会食の場合、加工食品・調理食品を使う場合の組み合わせも考える。
②「日本人の食事摂取基準（2005年版）」に基づき、日常の仕事量や運動量などの生活活動に見合ったエネルギーを摂取すること。
③たんぱく質は十分にとり、良質の動物性たんぱく質を40～45％を目安に、卵は一日1個程度、肉類は比較的脂肪の少ない部位を、魚は新鮮なものを選び、多価不飽和脂肪酸を多く含む、いわし、さば、さんまなどをとるようにする。
④脂肪は適当量とり、動物性脂肪：植物油：魚油の比率を4：5：1を目安にする。コレステロール量にも注意する。新鮮な植物油をとり、肉の脂身やヘッ

ド、ラード、バターなどの摂取は控える。
⑤糖分のとりすぎは、肥満のほか、血管にも悪影響を及ぼすので、単糖類、砂糖類の摂取は控えめにし、菓子類や甘味飲料は最小限にする。
⑥ビタミン、ミネラルを十分に摂取する。
⑦食塩は1日10g未満を目標にする。料理はうす味に慣れるようにし、汁物は1日1回程度、漬物はうす味のものを少量、酢や香味野菜、スパイスなどを利用する。塩辛い干物や、つくだ煮など、塩分の多い加工品はなるべく控える。調味料や加工品の塩分含量を知ることも適塩コントロールに役立つ。
⑧食欲増進、ストレス解消、安眠などに適量のアルコールはプラスになるとされるが、深酒は禁物である（飲酒量は1日1合、180mlまでとする）。外での付き合いでは飲む量がつい多くなりがちで、肴も動物性脂肪や塩分の多いものをとりすぎる傾向があるので注意する。
⑨2000年策定「健康づくりのための食生活指針」を活用する。
⑩欠食する習慣がある割合は20～29歳で最も多く、男性で46.3%、女性で34.7%である。
⑪特定保健用食品やサプリメント、いわゆる健康食品について、正しい利用法を知り、過度に依存しないようにする。

(5) 高齢期

高齢期の食事のポイント

　高齢期になると、喪失を感じる精神的な変化とともに、加齢に伴う食習慣の変化や劇的な身体機能の低下が起こる。そこで、見た目に食欲をそそる食事や栄養に配慮した食事に加えて、身体の特徴に合わせた、食事の内容や形態に工夫が必要である。

● 食欲をそそるおいしい食事

　特に高齢期は、味覚・視力・嗅覚が衰え、それらは食欲不振につながることから、色どり良く食品を組み合わせて盛り付けるとともに、器も工夫したい。

● 栄養のバランスを考えて

　食事の好みも淡白な和食に偏りがちになり、たんぱく質不足などによる低栄養が心配される。大豆製品を十分にとり、肉や魚類なども調理方法を工夫し、

不足しないようにとることが必要である。

● 薄味でもおいしく食べられる工夫

老化とともに味覚が低下することから、濃い味付けを好むようになり、塩分などをとりすぎる傾向がある。食塩を控え、薬味や果汁を利用して、薄味でも変化に富んだ味付けを心がける。

● 食事形態の工夫

口腔機能の低下により歯が抜け、噛めなくなるだけでなく、唾液の分泌も低下するため、食塊の形成や嚥下機能が低下し、誤嚥も生じやすい。消化のよい、軟らかくて飲みこみやすく、食べやすい大きさになっているが食べ物の形が保たれているソフト食が向く。

唾液の分泌が減ると反射機能が鈍くなり、むせやすくなる。湯茶などの水分を飲む時には、ゼラチンで固めたり、とろみをつける。

● 食品選択の工夫

加齢により消化液も分泌量が減るとともに、腸の蠕動運動も低下し、腹筋も弱くなるなど、便秘になりやすくなる。また、運動不足、水分不足になりがちで、これらも便秘の原因になることから、食物繊維の豊富な野菜を多くとることが勧められる。

特に女性では、骨量の減少により骨がもろくなる骨粗鬆症が心配される。これは、カルシウムやビタミンDなどのミネラルを多く含む食品をとることである程度予防できることから、牛乳などの乳製品や小魚などを毎日とるよう心がけたい。

5. 作法・マナー

(1) 配 膳

　我々は食事をするときに、歩きながら食べる以外では、できあがった料理を配置して、着席して食事を始める。食事をする人が食べやすいように料理を運んだり、並べたりすることを日本料理では「配膳」という。

　日本料理の様式では本膳料理、懐石料理、会席料理などがある。本膳料理は室町時代の武家の饗応(きょうおう)料理として確立した形式である。本膳料理は一汁三菜、二汁五菜、三汁七菜と膳が増えると同時に汁が増えておかずの品数も増える。懐石料理は禅僧が修行中に温石を懐中に抱いて空腹をしのいだことからきた言葉で、茶の湯で提供する軽い食事のことを意味する。会席料理は江戸時代の宴席料理として高級料理店として堅苦しくなく実用的な宴会料理である。

　日本料理の日常食は、会席料理の様式を簡略にしたり、応用したりした形で、食品、調理法、調味が同じにならないように配慮する。その組み合わせは主食、汁、主菜、副菜、副々菜である。主食とは主にご飯、麺などであり、主菜は主なるおかずを示し、魚料理、肉料理などが挙げられる。副菜は煮物、和え物で、副々菜というと2つめの副菜ということで和え物、漬け物である。そして、汁をつける。この組み合わせを一汁三菜という。

　現在の食事の組み合わせでは朝食で、一汁一菜・一汁二菜そして昼食、夕食は一汁二菜や一汁三菜である。例外や応用料理である丼や麺のみ一品献立やなべものなども食するが、配膳の基本はご飯（主食）がお膳に前左側、汁は右側に置き、おかず（主菜）を右上で和え物（副菜）を左上に配置する。

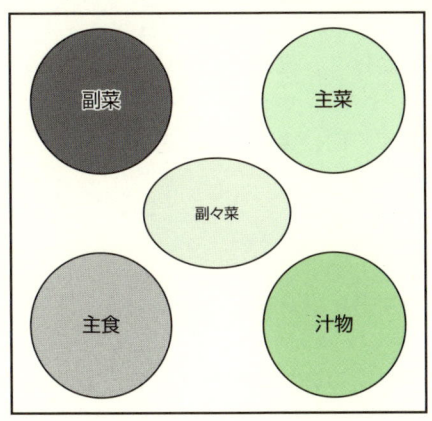

(2) **食べ方**

　食事を始めるときふたものは器と同じ側の手でふたの糸底を持ち、他の手を添えてはずし、膳の外側に糸底を下にして置く。食後は、器と同じ側の手でふたを取り、他方の手を添えてふたをする。
　料理の食べ方は飯、汁、汁の実、汁、飯の順に食べる。次に膳の右向こうのものから左の菜に移るが菜と菜の間に必ず飯を食べる。菜を一通りすめば香りの物以外は何を食べても良い。一菜ずつ進められるときは進められる順に食べる。熱い物は熱いうちに、冷たい物は冷たいうちに食べる。
　まず、ご飯茶碗を両手で取り上げ、右手で箸（はし）をかぶるようにとり、茶碗を持った手で箸を支え、持ち変え、一口食べる。茶碗を置くときには箸を置いてから、両手で茶碗をお膳に置く。食事が終わったら茶で箸の汚れを落とし、箸置きに置く。口に食べ物を入れたままおしゃべりしたり、また、口の中に食べ物が入っているのにさらに食べ物を口の中に入れるのは作法に反するとされている。
　食事をするとき、次のような箸の使い方に注意するのもマナーである。

込み箸
　口にほおばった食べ物を箸で奥に押し込む。
渡し箸
　食事の途中に箸を器の上に渡しておくこと。「ごちそうさま」という意味になる。
掻き箸（かき箸）
　茶碗の縁を口にあてがい箸でかきこむ。
移り箸
　料理をいったん取りかけて、ほかのものに変える。
くわえ箸
　箸を食膳の上に置かず、口に入れくわえる。
涙箸
　箸先から汁をたらす。
迷い箸
　食べる物を決めないで箸をウロウロさせる。
箸渡し
　箸で挟み上げた料理を別の箸で取ったり、箸と箸で料理をやり取りする。

寄せ箸
　箸で器を引き寄せる。
ちぎり箸
　右手に1本、左手に1本の箸を持って料理をちぎること。
探り箸
　汁ものなどで、かき混ぜて中身をさぐる。
刺し箸
　箸の先で突き刺して食べる。
指し箸
　食事中に箸で人を指す。
立て箸
　ご飯の上に箸を突き刺すことは仏箸ともいわれ、死者の枕元に供える枕ご飯の時のみ許される。
ねぶり箸
　何もつかんでいない箸をなめる。
振り箸
　箸先に着いた汁などを振り落とす。
犬食い
　食器をテーブルの上に置いたまま顔を寄せて食べること。

などが挙げられるが、これらは、正しいマナーを身につけることで、一緒にいる人に不快感を与えないようにし、楽しく、おいしく食事することが大切であることを示している。

寄せ箸　　犬食い　　迷い箸　　ねぶり箸

刺し箸　　ちぎり箸　　振り箸　　込み箸

(3) 箸の持ち方

　食事を食べるときに箸の持ち方が正しくないと掴んだ食べ物が落ちたり、食べ物が掴めないため、箸をスプーンのようにすくって食べたり、食べ物を突き刺して食べるようになる。また、茶碗などを口に持っていき掻き込む食べ方になる。そこで、正しい箸の持ち方は、親指と人差し指の間に、箸の先から4分の3あたりを親指の付け根にあて、下箸を薬指の指先あたりで支え、上箸は人差し指の付け根のあたりと中指と人差し指の先で軽く挟み、支える（写真1）。下箸を固定し、上箸が自由に動くようにし、食べ物を掴む（写真2）。上箸は下箸から離して持つ。二本の箸の両方を動かすのではない。おもに人差し指と中指を動かして、箸を上下に動かすが、上下の箸が近いと大きく開くことができないばかりか箸先がピッタリ合わないので、小さな物をつまむこともできない。

　正しい箸の使い方は、二本の箸の両方を動かすのではなく「下の箸はしっかり固定し、上の箸を動かす」こと。二本の箸がそろってしまうと、大きく開かなかったりする（写真3）。正しく箸が持てない方は、まず一本の箸を鉛筆を持つように握ってみる。そこに、もう一本の箸を握っている箸の下に刺す。先を薬指の上で支えるようにする。そして、中指と人差し指で支えている上箸を親指で軽く抑え、その部分を動かしてみる。そのとき、箸の先がそろっているか。箸がしっかりと開くか確かめてみる。

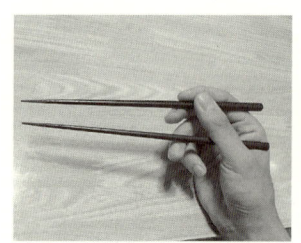

写真1 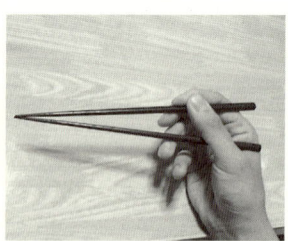　　　　　　写真2 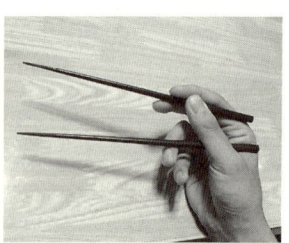　　　　　　写真3

第5章 関係法令

食品衛生、食育関連法令の中の基本的事項について解説する。

1. 食品関係

(1) 食品衛生法

　食品衛生法は、昭和22年に「食品の安全性の確保のために公衆衛生の見地から必要な規制その他の措置を講ずることにより、飲食に起因する衛生上の危害の発生を防止し、もって国民の健康の保護を図ること」を目的として制定された。全11章79条から構成され、主な内容は、第6条「不衛生な食品の販売等の禁止」、第11条「食品・添加物規格基準」、第18条「器具および容器包装の規格基準」、第19条「表示の基準」、第25条「食品等の検査」等である。
　近年の「ＢＳＥ問題」や「輸入野菜の残留農薬検出」等の問題発生を受けて、平成15年5月に大改正され、現在に至っている。

(2) 食品安全基本法

　近年、ＢＳＥにおける「プリオン」など新たな危害の発生や、遺伝子組換えやクローン等新たな技術が開発され、こうした情勢の変化に的確に対応するために、リスクの存在を前提にこれを科学的に評価し、コントロールしていく「リスク分析」手法に基づいた食品の安全・安心の確保が世界各国において行われるようになってきた。
　我が国においても、このような情勢を背景として、平成15年5月に「食品安全基本法」が制定された。
　この法律は、全3章38条から構成されており、「科学技術の発展、国際化の進展その他国民の食生活を取り巻く環境の変化に的確に対応することの緊急性にかんがみ、食品の安全性の確保に関し、基本理念を定め、国、地方公共団体および食品関連事業者の責務および消費者の役割を明らかにするとともに、施策の策定にかかわる基本的な方針を定めることにより、食品の安全性の確保に関する施策を総合的に推進すること」を目的としている。
　なお、基本理念には次の3項目がある。
①国民の健康保護が最も重要であるという基本的認識の下に、食品の安全性の

確保のために必要な措置が講じられること。
② 食品供給行程の各段階において、食品の安全性の確保のために必要な措置が適切に講じられること。
③ 国際的動向および国民の意見に配慮しつつ科学的知見に基づき、食品の安全性の確保のために必要な措置が適切に講じられること。

2. 食育関係

(1) 食育基本法

　食育基本法は、第1章から第4章まで全33条で構成されており、「食」を大切にする心の欠如や不規則な食事の増加、肥満や生活習慣病の増加等の問題に加え、「食」の安全上の問題の発生や海外への依存、伝統ある食文化の喪失などを背景として作られ、国民が生涯にわたり健全な心身を培い、豊かな人間性を育むことができるよう、食育を総合的及び計画的に推進することを目的として平成17年7月15日に施行された。食育の幅広い展開を図るため、食育基本法では、第2章（第16条～第18条）において食育推進計画の策定や第6条～第7条において食に関する体験活動の実施、伝統的な食文化や環境との調和等を考慮した食育の推進などが規定されている。さらに家庭や学校など地域社会や食品関連事業者等の相互連携による具体的な施策の推進に努めることなども規定されている。

(2) 健康増進法

　健康増進法は、平成14年8月2日に公布、平成15年5月1日に施行され、第1章から第8章までの全40条で構成されている。この法律は、総合的な健康増進の推進に関して、基本的な事項を定めており、我が国における急速な高齢化の進展及び生活習慣病等のような疾病構造の変化に伴い、国民の健康の増進の重要性が著しく増大している。また国民の栄養改善、健康増進及び国民保健の向上を図ることを目的としている（第1条）。基本的な考えとして、国民は自ら健康の増進に努めること。そして、国、地方公共団体は健康の増進に関する正しい知識の普及や情報収集、人材育成の向上を図ること、また事業者や学校等の健康増進事業実施者、医療機関等と相互に連携を図り、協力しながらその努力を支援することとしている。

参考文献・資料

「食生活の知恵　母から子へ（Ⅰ）～（Ⅳ）」　岡山県栄養改善協議会
「ひるぜんの味」　八束村栄養改善協議会
「おかやまの味」　岡山県郷土文化財団
「おかやまの米料理」　田口田鶴子、淵上倫子　山陽新聞社
「岡山の魚」　青木五郎　日本文教出版株式会社
「備中地域　食とくらしの知恵と技」　備中県民局農林水産事業部
「備中ふるさと　高梁の味だより」　高梁地方農村生活交流グループ協議会
「吉備の国　岡山百景」　吉備の国再発見の旅推進協議
「晴れの国写真館」　http://www.pref.okayama.jp/chiji/kocho/harephoto/
「古典料理書にみる鱧－鱧料理今昔－」　岡嶋隆司
「岡山びと」　第2号－岡山市デジタルミュージアム紀要－2007年
「料理の雑学（十一）－備前くらげ－」　岡嶋隆司
「らぴす　第18号」　アルル書店
「第6節　表書院での食生活について」　岡嶋隆司
（「史跡岡山城中の段発掘調査報告書」　岡山市教育委員会）
「おかやまのばらずし」　窪田清一
「食肉がわかる本改訂版」23項
「㈶日本畜産副産物協会」　HP　http://www.jlba.or.jp/index.html
「食材図鑑　FOOD'S FOOD」
「津山地域における牛可食副産物の名称」　加藤雅彦2003
「岡山のキノコ」　武丸恒雄　山陽新聞社1986
「マツタケ」　伊藤　武　岩瀬剛二　社団法人農産漁村文化協会1997
「特産情報」（2007.4号）日本特用林産振興会編集
「フリー百科事典〈ウィキペディア〉マツタケ」　http://ja.wikipedia.org/wiki/
「平成17年次岡山県特用林産物生産流通統計」
「乾しいたけ」日本産・原木しいたけをすすめる会
「岡山縣水産一斑」岡山縣内務部商工水産課1931
「平成17年岡山県漁業の動き」　岡山県農林統計協会2007
「やくにたつ食品衛生ハンドブック第7版」　㈳岡山県食品衛生協会
「食品衛生指導員ハンドブック第3版」　㈳日本食品衛生協会
「厚生労働省HP」　http://www.mhlw.go.jp/index.html
「㈶日本健康・栄養食品協会HP」　http://www.jhnfa.org/index.htm
「オールフォト食材図鑑」　㈳全国調理師養成施設協会
「たべものことわざ辞典」　㈱東京堂出版
「独立行政法人日本スポーツ振興センターHP」
　　　　　　　http://www.naash.go.jp/kenko/kyusyoku/index.html

「調理師読本」　㈳日本栄養士会（編）　第一出版株式会社発行
「内閣府ホームページ」　http://www8.cao.go.jp/syokuiku/index.html
「日本人の食事摂取基準（2005年版）」
「健康・栄養情報研究会：平成13年厚生労働省国民栄養調査結果」　第一出版2001
「栄養教育論」　山下静江ら　学建書院2005
「栄養教育論」　川田智恵子（編）　化学同人2006
「平成18年度岡山県の児童・生徒の食生活、日常生活習慣等の調査報告書」
　　　　　　　　　　　　　　　　　　岡山県学校栄養士会、岡山県教育委員会編2007
「小児のメタボリック症候群診断基準」　厚生労働省研究班2007
「健康ネットHP」　http://www.health-net.or.jp/kenkozukuri/index.html
「改訂版岡山の家庭園芸」　山陽新聞社1997
「新野菜百科」　中国地域野菜技術研究会1998
「五訂増補　食品成分表」　香川芳子　女子栄養大学出版部2006
「調理学実習」　大羽和子ら　ナカニシヤ出版

索引

●あ

あぐり・夢づくり起業化支援事業	114
アナゴ丼	51
アミとダイコンの煮付け	57
アミの塩漬け	57
アレルギー様食中毒	89
アレルギー表示	110

●い

イイダコの煮付け	58
イチゴ	14
いちじく	12
遺伝子組換え食品	105・110

●う

ウイルス性食中毒	88
ウェルシュ菌	96
ウシノシタ	29

●え

営業許可	78
衛生管理	99
HACCP	100
栄養機能食品	106
栄養成分表示の店登録事業	120
栄養素の摂取状況	123
栄養素のバランス	130
栄養の基礎知識	129

●お

おいしーヘルシー協力店	120
黄色ブドウ球菌	95
岡山カキ	84
おかやま黒豚	33
岡山県観光物産センター	73
岡山県食育推進計画	115
岡山県食の安全・安心の確保及び食育の推進に関する条例	75
岡山県食品衛生監視指導計画	77
おかやま地どり	33
岡山の地酒	43
岡山発！いい味売り込み推進事業	113
おかやま有機無農薬農産物	82
おかやま和牛肉	32

●か

外食世代の健康づくり推進事業	120
貝毒	99
貝毒検査	84
化学性食中毒	89
カキオコ	69
柿なます	58
カキのノロウイルス検査	83
学童期	136
笠岡ラーメン	67
ガザミ	30
監視指導	79
感染型食中毒	88
カンピロバクター	96

●き

黄ニラ	16
既存添加物	101
牛肉	85
牛乳	86
きびだんご	36
牛内臓肉の名称（津山地方）	66
金時ニンジン	20

●く

クサギナのかけ飯	50
クロダイ	28
黒大豆	24

●け

原因施設別発生状況	91
原因食品別発生状況	91
健康おかやま21	117
健康食品	105
健康増進法	146
健康づくりのための食育の取り組み	120
健康と栄養	128

●こ

工場等における衛生管理	99
高齢期	139
米	23

●さ

細菌性食中毒	88
細菌性食中毒予防の3原則	92
細菌の増える条件	93
サッパ（ママカリ）	27
サバずし	49
サバの煮食い	57
作法・マナー	141
サルモネラ属菌	94
サワラ	27・62
サワラの炒り焼き	54
サワラのこう（こ）ずし	47
残留農薬	103

●し

自然毒食中毒	89・98
指定添加物	100
しまべん	68
ジャガイモの芽	98
収去検査	79
消費期限	108
賞味期限	109
醤油	36
食育基本法	146
食塩の摂取状況	127
食事バランスガイド	133
食生活指針	131
食生活の現状	121
食中毒	88
食中毒菌	94
食中毒の種類	88
食中毒の定義	88
食中毒の発生件数と患者数	90
食中毒の発生状況	90
食品安全基本法	145
食品衛生責任者制度	81
食品衛生法	145
食品添加物	100・110
食品の摂取状況	125
食品の表示	108
食品のモニタリング検査	80
植物性自然毒	98
シラウオの卵とじ	55
しろみてずし	48

●す

ズガニのかけ飯	51

●せ

青・壮年期	138
千両ナス	17

151

●そ

雑煮	59

●た

鯛の浜焼き	69
タイラギ	31
食べ方	142

●ち

地産地消	112
茶	39
中間型食中毒	88
腸炎ビブリオ	94
朝食の状況	121
朝食毎日食べよう大作戦	121

●つ

ツクネイモ	25
津山のホルモンうどん	71
連島ゴボウ	15

●て

テンペ	40

●と

とうがん	19
動物性自然毒	98
毒キノコ	98
毒草	98
毒素型食中毒	88
特定保健用食品	105
と畜検査・食鳥検査	80
どどめせ	52
どぶろく特区	65
トマト	18
トレーサビリティシステム	84

●な

梨	11

●に

日本人の食事摂取基準	130
乳児期	134

●ね

ネブトの落とし揚げ	56
年代別食生活	134

●の

農産物直売所	112
農薬の適正使用	82
農薬の登録制度	82
ノリ	31
ノロウイルス	97

●は

配膳	141
はくさい	20
箸の持ち方	144
ばらずし	60
はりはり漬け	58

●ひ

ＢＳＥ対策	86
備前水母	64
病因物質別発生状況	92
病原大腸菌	95
蒜山おこわ	53
蒜山ジャージー牛の乳製品	71
蒜山ダイコン	15

●ふ

フグ毒	98
ぶどう	10
フナ飯	54

●へ

米菓	35
ベカの木の芽和え	55
ベラタの酢味噌かけ	55

●ほ

保健所等の役割	78
乾シイタケ	22
ボツリヌス菌	97

●ま

マイコトキシン食中毒	89
マガキ	26
マダコ	28
マツタケ	21
マナガツオ	29

●み

味噌	38

●め

目張	65
メロン	13
めん	41

●も

もも	9

●や

やまぶどう製品	72

●ゆ

輸入食品の検疫体制	87

●よ

幼児期	135
養殖水産物の残留医薬品検査	84

●わ

ワイン	44

執筆・監修者一覧

多田幹郎（中国学園大学教授）
森　恵子（社団法人岡山県栄養士会会長・中国学園大学教授）
社団法人岡山県栄養士会
岡山県米菓工業協同組合
岡山県醤油工業協同組合
岡山県味噌醸造協同組合
岡山県菓子工業組合
有限会社おくつテンペ工房
岡山県製麺協同組合
岡山県酒造協同組合
岡嶋隆司（メルパルク岡山調理部門和食担当主任）
窪田清一（福寿司調理師）
岡山県保健福祉部
岡山県農林水産部
岡山県観光物産センター
津山市商工観光課
備前市商工観光課
笠岡市産業振興課
真庭市観光振興課・農業振興課
　　　　　　　　　（順不同）

平成19年実施問題

「検定—晴れの国おかやまの食—」
問 題 用 紙

（試験時間　10時15分～11時45分）

（注意事項）

1　受験票は各自、机の上に置いてください。
2　問題は100問あります。
3　問題用紙と解答用紙は別々です。
4　解答用紙に、受験番号と氏名を必ず記入してください。
5　解答は、解答用紙に記入してください。
6　解答は、解答欄に1つだけ番号で記入してください。
　（2つ以上記入した場合は無効となります。）
7　退場するときは、解答用紙を裏返して、各自の机の上に置いて退場
　してください。（試験時間内の退場は、11時以後は認めます。）
8　受験票と問題用紙は、各自で持ち帰ってください。

指示があるまで、開かないでください。

平成19年10月28日（日）
岡山県食の安全・食育推進協議会
岡　山　県

I 食の生産と製造・加工（35問）

1 岡山県の「もも」は、古くから気品のある白いももとして有名で、岡山ブランド農林水産物にも指定されているが、岡山市一宮・津高地区を産地とする主力品種は、次のうちどれか。
   ① 黄金桃
   ② 清水白桃
   ③ 日川白桃
   ④ 浅間白桃

2 岡山県のぶどう栽培の歴史は古く、日本有数の産地として有名だが、明治時代から岡山県で栽培されているぶどうの品種は、次のうちどれか。
   ① マスカット・オブ・アレキサンドリア
   ② ピオーネ
   ③ マスカット・ベーリーA
   ④ オーロラブラック

3 おいしいぶどうの見分け方で正しいものは、次のうちどれか。
   ① 軸の色が褐変しているのがよい。
   ② 実がしなびているのがよい。
   ③ 実の表面に果粉と呼ばれる白い粉がよく付いているものがよい。
   ④ 黒いブドウでは大きくて色が少し赤いものがよい。

4 「もも」を選別するために光センサーを用いて調べる項目は、次のうちどれか。
   ① 果実の重量
   ② 果実の形状
   ③ 果実の色
   ④ 果実の糖度

5 岡山県が全国の生産量の1位を占めており、収穫後の日持ちがよいのが特長とされる梨の品種は、次のうちどれか。
   ① 新高
   ② 二十世紀
   ③ 愛宕
   ④ 豊水

6 岡山県の瀬戸内地域では日本いちじくの「蓬莱柿」という種類が古くから栽培されているが、江戸時代に伝わったとされるこの品種の呼び方は、次のうちどれか。
① ほうらいがき
② ほうらいし
③ ほうきし
④ ほうきがき

7 岡山県内のイチゴの主産地は岡山市西大寺地区であるが、イチゴに関する記述として誤っているものは、次のうちどれか。
① 日本には江戸時代にドイツから伝えられた。
② ランナー（匍匐枝）が発生して子株ができる。
③ 県内では、秋冬季にビニールハウスで加温して12月から翌年5月まで収穫する促成栽培が多い。
④ 新鮮なイチゴは、色が濃く、へたに張りがあるもの。

8 岡山県の黄ニラは岡山ブランド農林水産物に指定されているが、県内の生産量の全国の生産量に対する割合として正しいものは、次のうちどれか。
① 約1割
② 約3割
③ 約7割
④ 約10割

9 岡山ブランド農林水産物に指定されている「ナス」の種類として正しいものは、次のうちどれか。
① 賀茂ナス
② 長ナス
③ 千両ナス
④ 万両ナス

10 ヤマノイモの仲間は「山のうなぎ」とも呼ばれ、滋養強壮効果があると言われているが、岡山県内では岡山市御津地区が主産地となっているものは、次のうちどれか。
① ナガイモ
② サトイモ
③ ツクネイモ
④ サツマイモ

11　鍋料理や漬物によく利用される「はくさい」の岡山県内生産量は全国10位（平成17年産）であるが、はくさいが植物学上属している科名として正しいのは次のうちどれか。
　① バラ科
　② キク科
　③ ユリ科
　④ アブラナ科

12　ニンジンはビタミンA、カロチンが豊富で栄養価の高い野菜と言われているが、岡山県内では倉敷市の高梁川沿いの砂地で主に栽培されている甘みが強く日本料理に欠かせない東洋系の品種は、次のうちどれか。
　① 五寸ニンジン
　② 金時ニンジン
　③ 高麗人参
　④ ミニキャロット

13　キク科の植物で、中国から薬草として伝来し、食用とするのは日本だけだといわれている根菜は、次のうちどれか。
　① ニンジン
　② ダイコン
　③ ゴボウ
　④ カブ

14　アンデス高原が原産で、日本には当初は観賞用として導入され、岡山県内では比較的冷涼な中北部で主に栽培されている野菜は、次のうちどれか。
　① ゴーヤ
　② キュウリ
　③ ナス
　④ トマト

15　熱帯アジア原産のウリ科植物で、熟すと皮が硬くなり冬まで貯蔵することが出来ることから名前がついたと言われており、瀬戸内市牛窓地区が岡山県内の主産地である野菜は、次のうちどれか。
　① キュウリ
　② トウガラシ
　③ とうがん
　④ カンピョウ

16　シイタケは岡山県内では主に真庭市、高梁市、新見市で栽培されているが、シイタケを栽培する際の「ほだ木」に多く使われる樹種は、次のうちどれか。
　　① 　クスノキ
　　② 　スギ
　　③ 　コナラ
　　④ 　サクラ

17　黒大豆の「丹波黒」種の岡山県内生産量は全国1位となっているが、黒大豆の種皮に多く含まれ抗酸化作用をもつ成分は、次のうちどれか。
　　① 　サポニン
　　② 　アントシアニン
　　③ 　イソフラボン
　　④ 　レシチン

18　「ママカリ」と呼ばれる岡山県を代表する魚の標準和名として正しいのは、次のうちどれか。
　　① 　クロダイ
　　② 　サワラ
　　③ 　サッパ
　　④ 　メバル

19　「岡山かき」は岡山ブランド農林水産物に指定されているが、このマガキの県内産地として誤っているものは、次のうちどれか。
　　① 　備前市日生町
　　② 　瀬戸内市邑久町
　　③ 　浅口市寄島町
　　④ 　倉敷市下津井

20　貝柱が大きくおいしいことから「貝柱」とも呼ばれ、岡山県内の主産地が倉敷市である三角形の大型二枚貝は、次のうちどれか。
　　① 　アサリ
　　② 　タイラギ
　　③ 　シジミ
　　④ 　サザエ

21　ガザミは、岡山県内では主に笠岡市や浅口市が産地であり、オール状の脚を使って上手に泳ぐことから「ワタリガニ」とも呼ばれているが、ガザミの旬は、次のうちどれか。
　　① 春から初夏
　　② 初夏から秋
　　③ 秋から初冬
　　④ 晩秋から春

22　高度不飽和脂肪酸の一種であるDHA（ドコサヘキサエン酸）は、脳の発達促進、視力低下の予防などに効果があると言われているが、多く含まれている食品として誤っているものは、次のうちどれか。
　　① クロマグロ脂身
　　② スジコ
　　③ ブリ
　　④ 鶏肉

23　岡山県のノリ養殖は明治16年頃から始まり、養殖技術の改良・普及とともに瀬戸内沿岸各地に広がったと言われているが、県内の発祥の地とされているのは、次のうちどこか。
　　① 片上湾
　　② 児島湾
　　③ 水島灘
　　④ 渋川海岸

24　岡山の夏を代表する右の写真の魚は、次のうちどれか。
　　① サワラ
　　② ヒラメ
　　③ ウシノシタ
　　④ マナガツオ

25　新鮮な魚を見分ける判断基準として誤っているものは、次のうちどれか。
　　① 目が白い。
　　② 鰓が鮮紅色である。
　　③ 体全体がピンと張っている。
　　④ うろこがしっかりしている。

26 晩春の頃、サワラなどの魚が産卵のために沿岸に押し寄せてくる姿をたとえた呼び方は、次のうちどれか。
① 魚風
② 魚波
③ 魚島
④ 魚山

27 「おかやま和牛肉」として岡山ブランド農林水産物に指定されている牛の品種名は、次のうちどれか。
① 黒毛和種
② 褐毛和種
③ ジャージー種
④ 日本短角種

28 豚肉にはビタミンB_1が多く含まれ、食べると疲労回復効果があるとも言われているが、岡山県総合畜産センター（元岡山県畜産試験場）が銘柄豚として改良し、脂に甘みがありしつこさがない豚の名称は、次のうちどれか。
① おかやま白豚
② おかやま黒豚
③ おかやま茶豚
④ おかやま赤豚

29 「おかやま地どり」は、日本農林規格の飼養標準を満たした地鶏であるが、その「ひな」の生産機関として正しいものは、次のうちどれか。
① 岡山県生物化学総合研究所
② 岡山県総合農業センター
③ 岡山県総合畜産センター
④ 岡山県営食肉地方卸売市場

30 岡山県で生産される醤油の種類で最も多いものは、次のうちどれか。
① 薄口醤油
② 再仕込醤油
③ 溜醤油
④ 濃口醤油

31　味噌は種々の食材とともにバランス良く栄養を摂取できる理想的な調味料と言われており、原料となる麹等により種類分けされるが、岡山県で生産される味噌のうちもっとも多い種類は、次のうちどれか。
　① 麦味噌
　② 米味噌
　③ 豆味噌
　④ 白味噌

32　近年の健康ブームを背景に茶に含まれるカテキンなどの機能性成分が注目されているが、岡山県で最も多く栽培されている茶の品種は、次のうちどれか。
　① やぶきた
　② さやまかおり
　③ あさぎり
　④ たかちほ

33　食卓に登場する食材の難読漢字と読みの組み合わせで、誤っているものは、次のどれか。
　① 玉蜀黍　→　タマネギ
　② 牛蒡　　→　ゴボウ
　③ 海栗　　→　ウニ
　④ 蒟蒻　　→　こんにゃく

34　最高級の酒米として全国的に有名で、純米酒や吟醸酒の原料として利用される岡山県が発祥の水稲の品種は、次のうちどれか。
　① あきたこまち
　② コシヒカリ
　③ 雄町
　④ 岡山系統1号

35　岡山県では県産ぶどうから特色あるワインが作られているが、「やまぶどう」が原料の「ひるぜんワイン」に多く含まれる赤色色素は、次のうちどれか。
　① クロロフィル
　② アントシアニン
　③ カロテノイド
　④ カテキン

Ⅱ 岡山の食文化（30問）

36　備前市日生町付近の郷土料理「サワラのこうずし（こうこずし）」に入っている「こう（こうこ）」は、次のうちどれか。
　　① アナゴ
　　② たくあん
　　③ キュウリ
　　④ タケノコ

37　「サバずし」は、岡山県中北部の郷土料理の代表といわれているが、すし飯をまとめやすくするために入れられる「もち米」の割合として正しいものは、次のうちどれか。
　　① 約7割
　　② 約5割
　　③ 約3割
　　④ 約1割

38　岡山県中北部の郷土料理「クサギナのかけ飯」の食材であるクサギナの摘み取り適期として正しいものは、次のうちどれか。
　　① 田植えの頃
　　② 夏祭りの頃
　　③ 稲刈りの頃
　　④ 紅葉の頃

39　岡山県三大河川中流域の郷土料理として作られている「ズガニのかけ飯」の食材「ズガニ」の標準和名として正しいものは、次のうちどれか。
　　① イシガニ
　　② サワガニ
　　③ モクズガニ
　　④ ハナサキガニ

40　「蒜山おこわ」は、蒜山地方の郷土料理であるが、口当たりをよくするため加えられる食材は、次のうちどれか。
　　① ゴマ
　　② ピーナッツ
　　③ 大根
　　④ 押麦

41 「フナ飯」は、「寒ブナ」を包丁で良く叩いてミンチにしたものを食材として作られる郷土料理であるが、岡山県南一帯で作られる「フナ飯」の別名として正しいものは、次のうちどれか。
　① トントン汁
　② ガンガン汁
　③ タンタン汁
　④ コンコン汁

42 豊漁の際、食事の時間を惜しんで半煮えのものを素早く食べたところから生まれたといわれる「サワラの炒り焼き」の発祥の地は、次のうちどれか。
　① 笠岡
　② 寄島
　③ 日生
　④ 児島

43 早春1～3月頃の短期間しかとれず、岡山県では「ベラタ」と呼ばれている珍味は、ある魚の稚魚であるが、その成魚の名称として正しいものは、次のうちどれか。
　① アナゴ
　② タイ
　③ ウナギ
　④ ウシノシタ

44 岡山県では「いしもちじゃこ」とも呼ばれ、小骨が多いが味はタイに似て淡泊な瀬戸内沿岸でとれる小魚の別名（地方名）は、次のうちどれか。
　① ゲタ
　② ガシラ
　③ ママカリ
　④ ネブト

45 水で戻し調味液に漬ける一般的な「はりはり漬け」の食材は、次のうちどれか。
　① キクラゲ
　② ワカメ
　③ 切り干しダイコン
　④ ヒジキ

46　岡山県の雑煮によく用いられる食材の組み合わせで正しいものは、次のうちどれか。
　　① 角もち－サバ
　　② 丸もち－サケ（鮭）
　　③ 丸もち－ブリ
　　④ 丸もち－タコ

47　郷土料理「岡山のばらずし」の特徴として誤っているものは、次のうちどれか。
　　① 具材の種類が多い。
　　② 具材の彩（いろど）りが豊かである。
　　③ 調理工程が少ない。
　　④ 栄養面のバランスがよい。

48　「岡山のばらずし」の彩りと食材の組み合わせで誤っているものは、次のうちどれか。
　　① 緑　　→　　絹さやエンドウ、ミツバ
　　② 黒　　→　　ヒジキ、昆布
　　③ 黄　　→　　錦糸卵
　　④ 茶　　→　　カンピョウ、焼きアナゴ

49　腹が狭いことが語源とも言われ、瀬戸内海に4～6月にかけて産卵のために入ってくる「サワラ」の漢字として正しいものは、次のうちどれか。
　　① 鯖
　　② 鰆
　　③ 鰍
　　④ 鮪

50　かつて児島湾や片上湾でとれたが、現在は姿を消した備前の名産「備前水母」の読み方は、次のうちどれか。
　　① ビゼンウニ
　　② ビゼンナマコ
　　③ ビゼンメバル
　　④ ビゼンクラゲ

165

51 どぶろくの製造には酒類製造免許が必要であるが、現在、構造改革特区認定制度に基づく規制緩和の「どぶろく特区」の認定を受けているのは津山市と次のうちどこか。
 ① 岡山市
 ② 高梁市
 ③ 新見市
 ④ 美作市

52 津山地方特有の呼び名では「チョウメン」ともいわれる牛の第3胃の名称は、次のうちどれか。
 ① センマイ
 ② ハラミ
 ③ レバー
 ④ ハツ

53 ご当地ラーメン「笠岡ラーメン」の一般的な特徴を表しているのは、次のうちどれか。
 ① とんこつでだしを取っている。
 ② 豚肉のチャーシューの代わりにかしわ（鶏肉）を使う。
 ③ 魚介類がたっぷり入っている。
 ④ みそ味でこってりした味わい。

54 笠岡地方の名産「鯛の浜焼き」の説明として正しくなるよう（A）～（C）に入る最も適切な語句の組み合わせは、次のうちどれか。
「笠岡近海で獲れた天然の鯛から内臓を抜き取った後、味を調えるために（A）を注入。一匹ずつ（B）で包んで蒸しあげ、一昼夜自然乾燥させたら竹製の（C）で梱包してできあがる。」

	（A）	（B）	（C）
①	水	紙	かご
②	食塩水	稲わら	伝八笠
③	食塩水	麦わら	伝八笠
④	食塩水	稲わら	かご

55 備前市日生町の特産品であるカキをふんだんに使用した料理「カキオコ」は、次のうちどれか。
① カキ入りたこ焼き
② カキ入りお好み焼き
③ カキ入りもんじゃ焼き
④ カキの鉄板焼き

56 津山市内ではほとんどの鉄板焼きの店で味わうことのできるといわれる「ホルモンうどん」に使用する牛の部位は、次のうちどれか。
① 内臓
② 肉
③ 骨
④ 皮

57 蒜山地方の特産乳製品は、日本ではあまり飼育されていないある乳牛品種の乳を原料としているが、この乳牛品種は、次のうちどれか。
① ホルスタイン種
② ガンジー種
③ ジャージー種
④ ブラウンスイス種

58 県中北部では、農繁期のおやつとして小麦粉の皮と空豆の餡をミョウガの葉で包んだ「ミョウガ焼き」を食べる習慣があるが、この「ミョウガ焼」の別名は、次のうちどれか。
① けんびき焼き
② けんこう焼き
③ けんぶき焼き
④ けんがき焼き

59 郷土料理「柿なます」に入れる柿以外の食材として正しいものは、次のうちどれか。
① カボチャ
② キュウリ
③ タマネギ
④ ダイコン

60 瀬戸内市長船町で、祭りなどたくさんの人が集まるとき振る舞われ、ばらずしに比べ簡単に作れる「どどめせ」という郷土料理があるが、ある言葉がなまって「どどめせ」となったともいわれている。もとの言葉は、次のうちどれか。
① どぶろく飯
② ドジョウ飯
③ みりん飯
④ どんぶり飯

61 下津井、玉野、牛窓付近では、産卵期前に体の内部に5～6mmの米粒状の卵を持つ体長約20cmの小型のタコが捕れるが、このタコの名前は、次のうちどれか。
① ミズダコ
② マダコ
③ イイダコ
④ テナガダコ

62 「サワラ」は、全国的には焼き物、煮物、蒸し物等で食されるが、岡山の古くからの食文化の特徴のひとつとして、これ以外の調理法でもよく食されている。それは次のうちどれか。
① 干物
② 佃煮
③ 塩漬け
④ 刺身

63 野菜の色止めを行う際に入れる調味料は次のうちどれか。
① 砂糖
② ソース
③ 塩
④ こしょう

64 「料理のさしすせそ」と呼ばれる調味料の説明のうち、組み合わせの誤っているものは、次のうちどれか。
①「さ」－ 砂糖
②「し」－ 塩
③「す」－ 酢
④「そ」－ ソース

65 端午の節句の節句菓子として食べられるものは、次のうちどれか。
　① 柏餅
　② おせち
　③ クリスマスケーキ
　④ 桜餅

Ⅲ　食の安全と安心の確保（20問）

66 食の安全・安心の確保及び食育を推進するために、平成18年に岡山県で制定された条例は、次のうちどれか。
　① 岡山県魚介類行商条例
　② ふぐ調理等規制条例
　③ 岡山県食の安全・安心の確保及び食育の推進に関する条例
　④ 旅館業法施行条例

67 食品営業許可についての記述で正しいものは、次のうちどれか。
　① 営業許可は、保健所長名の許可書が交付される。
　② 営業許可が必要な営業の種類は、14業種である。
　③ 営業許可は、施設を建設しようとする者の届出に基づき行われる。
　④ 営業許可は更新の必要がない

68 「と畜」とは、食肉にすることを目的として家畜を殺処分することであるが、と畜検査を行う「と畜検査員」の資格要件は、次のうちどれか。
　① 家畜人工授精師
　② 畜産系の大学卒業者
　③ 獣医師
　④ 公務員であれば誰でもできる

69 食品衛生法に基づき、食品衛生監視員が店頭に並べられている食品を持ち帰り検査する「収去検査」の目的として正しいものは、次のうちどれか。
　① 食品の重量点検
　② 食品の適正価格調査
　③ 食品の流通経路調査
　④ 食品の規格基準の点検

70 農薬の「登録制度」を規定している法律は次のうちどれか。
① 農薬取締法
② 食品衛生法
③ 食品安全基本法
④ 薬事法

71 岡山県が全国に先駆けて取り組んだ「おかやま有機無農薬農産物」の認定を受けるには、栽培前の一定期間以上、農薬・化学肥料を一切使わずに土づくりを行う必要があるが、その最短期間は、次のうちどれか。
① 半年未満
② 1年以上
③ 2年以上
④ 5年以上

72 消費者に対して安全・安心な水産物を提供するトレーサビリティシステムを導入している県産の養殖水産物は、次のうちどれか。
① ノリ
② マガキ
③ アマゴ
④ ヒラメ

73 最近5年間に県内で発生した食中毒の病因物質で最も多いものは、次のうちどれか。
① フグ毒
② 毒キノコ
③ ノロウイルス
④ サルモネラ属菌

74 食中毒病因物質のうち、細菌性食中毒の「毒素型（食物中で細菌が毒素を生産し、その毒素によって食中毒が発症するもの）」に分類される代表的な食中毒菌は、次のうちどれか。
① 腸炎ビブリオ
② サルモネラ属菌
③ ノロウイルス
④ 黄色ブドウ球菌

75 ノロウイルスに起因する食中毒の予防法の説明で誤っているものは、次のうちどれか。
　① トイレの後は、温水でしっかり手を洗う。
　② 食品は十分に加熱をする。(85℃で1分以上)
　③ 調理器具などの殺菌は、次亜塩素酸ナトリウムで殺菌する。
　④ 手洗い後は、1枚のタオルを多人数で使い回して拭く。

76 「細菌性食中毒予防の3原則」に含まれないものは、次のうちどれか。
　① 菌をつけない
　② 菌をふやさない
　③ 菌をみつける
　④ 菌をやっつける

77 フグの内臓には、「テトロドトキシン」という毒素が含まれるが、フグ毒による食中毒に関する説明で誤っているものは、次のうちどれか。
　① テトロドトキシンは猛毒で、その強さは青酸カリの1000倍以上である。
　② フグ毒による食中毒は死亡率が高い。
　③ フグ毒による食中毒を防ぐためには、フグ調理の資格を持った専門家に任せることが重要である。
　④ フグ毒が体内に入ると、約1週間後に食中毒症状を発する。

78 毒キノコの鑑別に関する記述で正しいものは、次のうちどれか。
　① 茎が縦に裂けるものは食べられる。
　② 塩漬けにすると毒が消える。
　③ 虫に食われているものは安心である。
　④ 毒キノコの鑑別は素人では困難なので専門家に任せる。

79 食品添加物とその説明で誤っているものは次のどれか。
　① 保存料：食品の保存性を向上させる。
　② 増粘剤：食品になめらかな感じや粘り気を与える。
　③ 甘味料：食品に甘みを与える。
　④ 着色料：食品に香りを付与する。

80 「遺伝子組換え作物」のうち、現在、日本国内で流通・販売しているものは次のうちどれか。
① カボチャ
② 大豆
③ キュウリ
④ レタス

81 アレルギーを起こしやすいとされる食品のうち、発症数、重篤度から考えて表示する必要が高いものとして表示が義務化された5品目を「特定原材料」というが、特定原材料でないものは、次のうちどれか。
① 卵
② とうもろこし
③ そば
④ 牛乳

82 各法令とその法令によって定められた表示の組み合わせの例であるが、誤っているものは、次のうちどれか。
① JAS法－生鮮食品（農産物・畜産物・水産物）原産地表示
　※JAS法（農林物資の規格化及び品質表示の適正化に関する法律）
② 計量法－食肉の内容量表示
③ 健康増進法－保健機能食品の表示
④ 食品衛生法－医薬品的な効果・効能の表示

83 岡山県の地産地消マスコットキャラクターは、次のうちどれか。

① ② ③ ④

84 地産地消に関する記述として誤っているものは次のうちどれか。
① 地産地消とは、地域でとれた食べ物をその地域で消費するという意味である。
② 地産地消を推進するためには、地域の伝統的料理や食材の普及伝承は必要ない。
③ 地産地消の活動方針の一つとして、学校給食への地域食材の利用促進がある。
④ 地産地消の普及・定着を進めるため、岡山県では地産地消フェアを開催している。

85 岡山県下にある「農産物直売所」に関する記述として誤っているものは、次のうちどれか。
① 地域の農林水産物を中心とした特産品を販売している。
② 県下には無人の直売所はない。
③ 地域の食文化の発信・伝承の拠点としての機能が期待されている。
④ 岡山県では直売所ガイドマップを発行している。

Ⅳ 食　　育 (15問)

86 岡山県が、「岡山県食の安全・安心の確保及び食育の推進に関する条例」に基づき、食育を効果的・効率的に推進するために平成19年3月に策定した計画の名称は、次のうちどれか。
① 健やか親子21
② 岡山県食育推進計画
③ 岡山県消費生活基本計画
④ 岡山県地産地消推進方針

87 岡山県食育推進計画の目指すべき方向性についての重要な視点「食育推進の4本柱」のうち、計画に挙げられていないものは次のうちどれか。
① 家庭における食育の推進
② 子どものときからの食育の推進
③ 地域ぐるみの食文化の創造
④ 協働で食をはぐくむ環境整備

88 岡山県では、県民1人ひとりが充実した豊かな人生を過ごせることを目指し「健康おかやま21」を策定しているが、目標設定していない分野は、次のうちどれか。
① 循環器病
② たばこ
③ 食文化
④ アルコール

89 「健康おかやま21」に関する栄養・食生活に関する記述のうち、誤っているものは、次のうちどれか。
　① 適正体重を維持している人の増加
　② 脂肪エネルギー比率の減少
　③ 野菜摂取量の増加
　④ 食塩摂取量の増加

90 岡山県の栄養素摂取量の平成11年から平成16年の状況に関する説明のうち、正しいものは次のうちどれか。
　① 脂肪の摂取量はほとんど変化がない。
　② たんぱく質の摂取量について、動物性たんぱく質はほとんど変化がないが、植物性のものは増加している。
　③ カルシウムの摂取量は男女とも減少している。
　④ 鉄の摂取量は大きく増加している。

91 給食が日本で初めて実施されたのは、明治22年に山形県においてであるが、岡山県で初めて実施されたのは、いつか。
　①明治44年
　②大正10年
　③昭和5年
　④昭和21年

92 栄養の基礎知識について、正しいものは次のどれか。
　① 炭水化物、脂質、たんぱく質、ビタミン、ミネラルを5大栄養素という。
　② 炭水化物、ビタミン、ミネラルを3大栄養素という。
　③ 栄養素は体内で合成できないものばかりである。
　④ 人間が必要な栄養素やエネルギーの量は一生変化しない。

93 平成17年6月に厚生労働省と農林水産省が策定した「食事バランスガイド」の記述について、誤っているものは次のうちどれか。
　① 「食生活指針」を具体的な行動に結びつけるために作成された。
　② 1日に「何を」「どれだけ」食べたらよいかを料理のイラストで示している。
　③ 1日にとる料理の量をグラム（g）で示している。
　④ 食事以外の運動や菓子・嗜好飲料についても示している。

94 2000年に農林水産省と文部省、厚生省が共同で策定した「食生活指針」の項目にないものは次のうちどれか。
① 食事を楽しみましょう。
② 主食、主菜、副菜を基本に食事バランスを。
③ 適正体重を知り、日々の活動に見合った食事量を。
④ 食文化や地域の産物を生かし、新しい料理は控えよう。

95 「岡山県版食事バランスガイド」を表すイラストは、次のうちどれか。
①　　　　　　　　　　②
③　　　　　　　　　　④

96 乳児期の食事に関する記述であるが、（A）～（B）に入る最も適切な語句の組み合わせは、次のうちどれか。
　満1歳で体重は出生時の（　A　）と生涯で最も著しく成長し、おすわりからひとり歩きと運動機能の発達、精神的・情緒的にも発育が進む時期である。しかし、赤ちゃんは食に対して常に与えられたものを食べる（　B　）の立場である。

	A	B
①	約2倍	選択者
②	約3倍	受け身
③	約4倍	選択者
④	約5倍	受け身

97 高齢期の食事についての説明で、正しいものは次のうちどれか。
　① 高齢期は、味覚・視覚・嗅覚が研ぎ澄まされ、食欲不振につながりやすい。
　② 食事の好みも淡白な和食に偏りがちになり、たんぱく質不足などによる低栄養が心配される。
　③ 老化とともに、味覚が向上する事から濃い味を好むようになり、塩分などを摂り過ぎる傾向がある。
　④ 特に女性では、骨量の増加により、骨がもろくなる骨粗鬆症が心配される。

98 配膳の図の（ア）の位置に置くべきものは次のうちどれか。

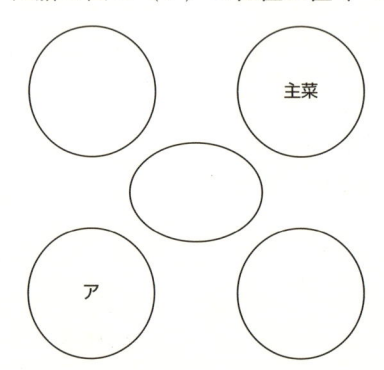

　① 主食
　② 副菜
　③ 汁物
　④ 副々菜

99 食事をする時のマナーとして箸の使い方があるが、箸のマナーについての説明の組み合わせで、誤っているものは次のうちどれか。
　① 渡し箸　→　食事の途中に箸を器の上に渡しておくこと。
　② 迷い箸　→　食べるものを決めないで箸をウロウロさせること。
　③ くわえ箸→　元々の箸に加えて2本目の箸を使って食べること。
　④ 刺し箸　→　箸の先で突き刺して食べること。

100 食事をする時の注意したいマナーとして、食器をテーブルの上に置いたまま顔を寄せて食べる行為を何というか。
　① 牛食い
　② 馬食い
　③ 猫食い
　④ 犬食い

「検定 ―晴れの国おかやまの食―」解答

平成19年10月28日（日）

受験番号

氏　名

問	解答欄	問	解答欄	問	解答欄	問	解答欄	問	解答欄
1	②	21	④	41	①	61	③	81	②
2	①	22	④	42	③	62	④	82	④
3	③	23	②	43	①	63	③	83	①
4	④	24	④	44	④	64	④	84	②
5	③	25	①	45	③	65	①	85	②
6	②	26	③	46	③	66	③	86	②
7	①	27	①	47	③	67	①	87	②
8	③	28	②	48	②	68	③	88	③
9	③	29	③	49	②	69	④	89	④
10	③	30	④	50	④	70	①	90	①
11	④	31	②	51	④	71	③	91	①
12	②	32	①	52	①	72	②	92	①
13	③	33	①	53	②	73	③	93	③
14	④	34	③	54	②	74	④	94	④
15	③	35	②	55	②	75	④	95	④
16	③	36	②	56	①	76	③	96	②
17	②	37	④	57	③	77	④	97	②
18	③	38	①	58	①	78	④	98	①
19	④	39	③	59	④	79	④	99	③
20	②	40	④	60	①	80	②	100	④

※問題74の選択肢②「サルモネラ菌属」は「サルモネラ属菌」の誤りでしたが、今回の検定の解答には影響いたしませんので、得点の調整は行いません。誤りについてお詫び申し上げますとともにご了承願います。

「検定―晴れの国おかやまの食―」に関するお問い合わせは、下記の社団法人岡山県食品衛生協会へ。テキストの内容に修正がある場合は、同協会のホームページで随時お知らせします。

●社団法人岡山県食品衛生協会
〒703-8278　岡山市古京町1-1-17
電話086-273-9044　ファクス086-273-9045
ホームページ　http://ww91.tiki.ne.jp/~okayamafha/

改訂版「検定―晴れの国おかやまの食―」公式テキスト
2008年6月15日　発行

著　者　社団法人岡山県食品衛生協会　編
　　　　岡山県食の安全・食育推進協議会　監修
発　行　吉備人出版
　　　　〒700-0823　岡山市丸の内2丁目11-22
　　　　電話086-235-3456　ファクス086-234-3210
　　　　ホームページ　http：//www.kibito.co.jp
　　　　Eメール　mail：books@kibito.co.jp
印　刷　広和印刷株式会社
製　本　株式会社岡山みどり製本

ⓒ2007　OKAYAMAKENSHOKUHINEISEIKYOKAI, Printed in Japan
乱丁本、落丁本はお取り替えいたします。ご面倒ですが小社までご返送ください。
定価はカバーに表示しています。
ISBN978-4-86069-202-5　C0077